当代书法名家◎中国书法家协会草书专业委员会专辑

张景岳

海风出版社
HAIFENG PUBLISHING HOUSE

图书在版编目（CIP）数据

张景岳专辑/张景岳书.—福州:海风出版社，2008.11
（当代书法名家.中国书法家协会草书专业委员会专辑；15/胡国贤，李木教主编）
ISBN 978-7-80597-829-1

Ⅰ.张… Ⅱ.张… Ⅲ.草书—书法—作品集—中国—现代 Ⅳ.J292.28

中国版本图书馆CIP数据核字（2008）第177064号

当　代　书　法　名　家
中国书法家协会草书专业委员会专辑
张景岳 专辑

策　　划：焦红辉
主　　编：胡国贤　李木教
责任编辑：叶家伧　王伊陆　吴德才
装帧设计：王伊陆
责任印制：傅　强　吴尚联

出版发行：海风出版社
(福州市鼓东路187号　邮编:350001)
出 版 人：焦红辉
印　　刷：福州青盟印刷有限公司
开　　本：889×1194毫米　1/16
印　　张：4印张
版　　次：2008年11月 第1版
印　　次：2009年3月 第1次印刷
书　　号：ISBN 978-7-80597-829-1/J · 177
定　　价：798.00元 (全套21册)

张景岳 1945年生于成都，祖籍河南安阳，曾任中国书法家协会理事，四川省书法家协会副主席。现为中国书法家协会草书专业委员会委员，中国艺术研究院中国书法院研究员。曾担任中国书法家协会（四届）评审委员会委员、中国书协主办的全国第八届书法篆刻展、首届公务员书法展、第一届和第二届草书大展评委，中央电视台杏花村杯书法大奖赛、浙江林散之奖评委，第二届流行书风展、渊源与流变及二王帖系书法研究展评委。书法作品曾多次在国内外重大展事活动中展出。在《中国书法》、《书法杂志》、《书法导报》、韩国《月刊书艺》与其他多种媒体上作个人书法专题介绍与刊登作品。书法作品被中国美术馆、广东美术馆、今日美术馆、浙江省博物馆、四川省博物馆、毛主席纪念堂等文博单位收藏。

序

两个多月前，经李木教委员搭桥，由海风出版社出版《当代书法名家》丛书，第一辑为中国书法家协会草书专业委员会专辑，每个委员一卷，既能反映每位书家个人的艺术风采，又能体现草书委员会的整体实力、整体风貌，还能彰显当代草书创作的一些境况和情势，一举多得，令人兴奋。

草书专业委员会成立于2006年，是中国书法家协会下设的几个专业委员会之一，职责是专事草书方面的研究、创作等。共有委员二十一人（原二十二人，副主任周永健先生今年五月因病故去）。年龄最大者六十几岁，最小者三十几岁，都是活跃在当今书坛的实力派书家。

这二十位书家，每个人都在草书上卓有建树，功力既深，格调亦高，个性风格鲜明而强烈。他们都以传统为师，在传统中孜孜以求，精益求精。并在此基础上，广涉博取，锐意开拓，大胆突破，开辟新境界。因而他们的作品无论气象还是内涵上，都很耐人寻味，颇富艺术感染力。

海风出版社将这么多书家和他们的作品结集出版，诚是一着高棋，定会令人一饱眼福，并从中获得一些有益的启示。

本人作为草书委员会的一员，能和诸书友一道共同参与这个盛事，深感荣幸。借本书出版之际，谨向海风出版社表示诚挚的谢意。希望本书能受到欢迎。也诚望能得到批评指正，以期有更大的长进，不辜负书友和同道们的厚望。

聂成文

二〇〇八年八月八日

目录

作品

竹坞无尘水槛清，相思迢递隔重城。秋阴不散霜飞晚，留得枯荷听雨声。
千形万象竟还空，映水藏山片复重。无限旱苗枯欲尽，悠悠闲处作奇峰。
江雨霏霏江草齐，六朝如梦鸟空啼。无情最是台城柳，依旧烟笼十里堤。

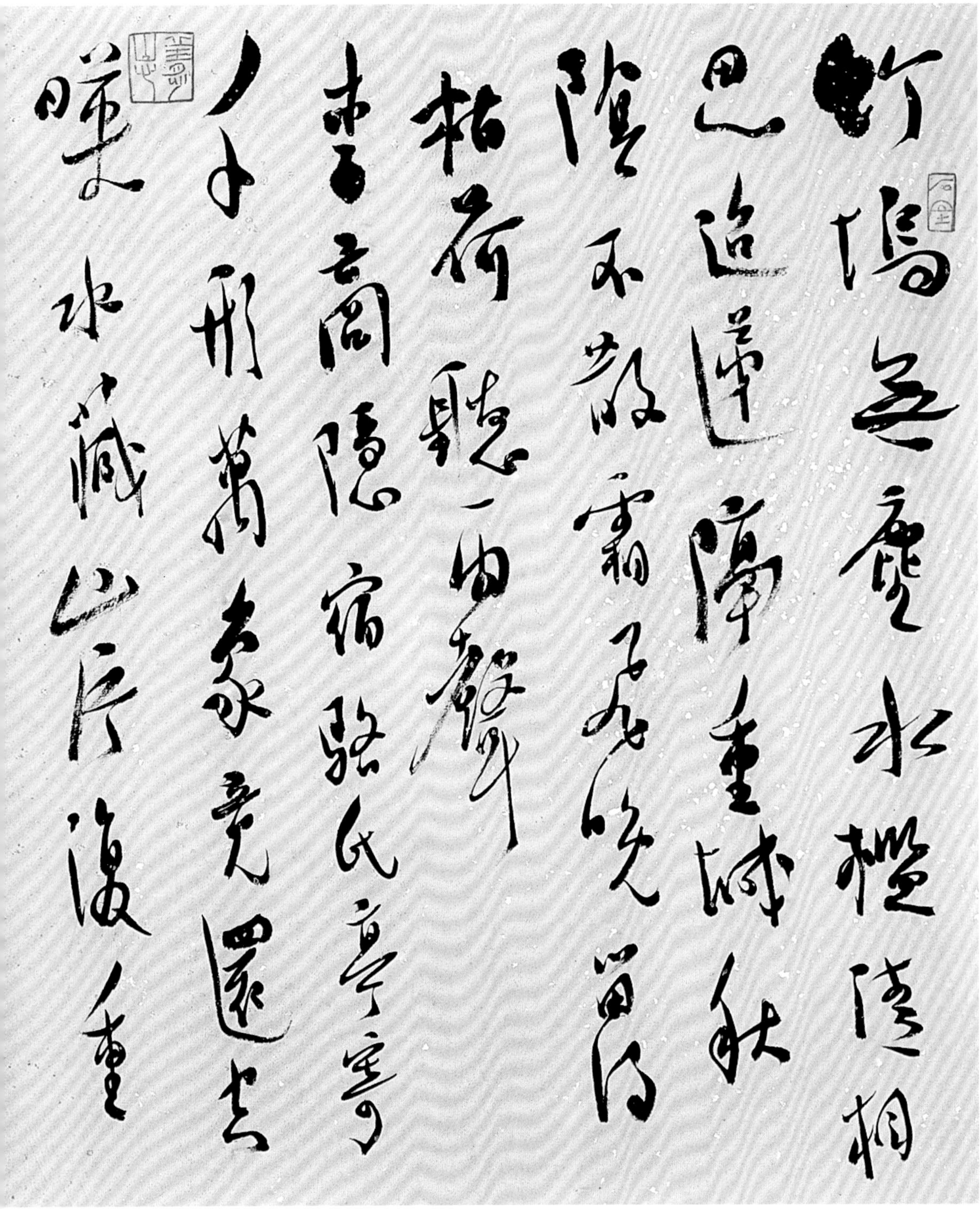

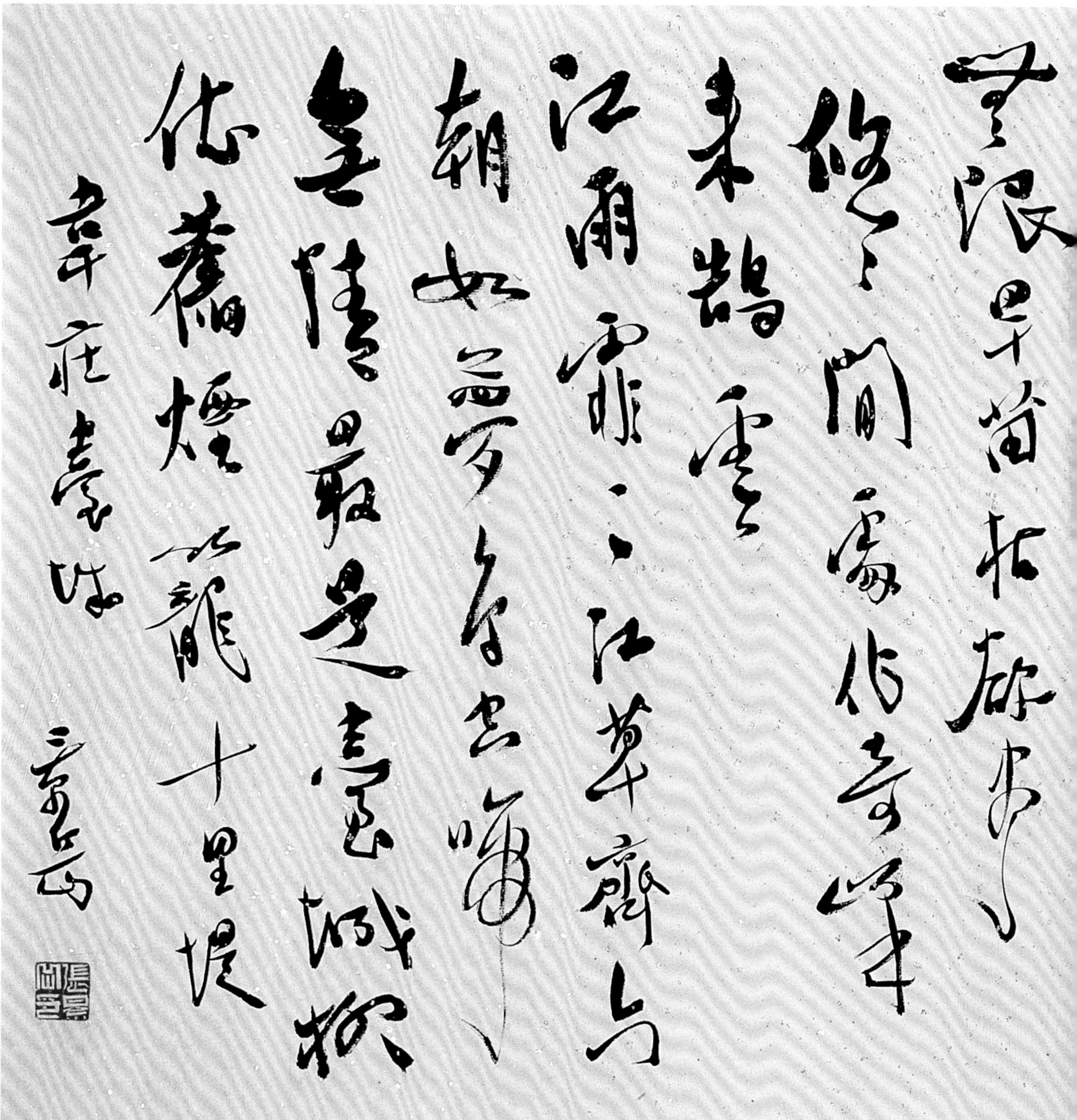
江雨霏霏江草齊六
朝如夢鳥空啼
無情最是臺城柳
依舊煙籠十里堤
韋莊臺城詩

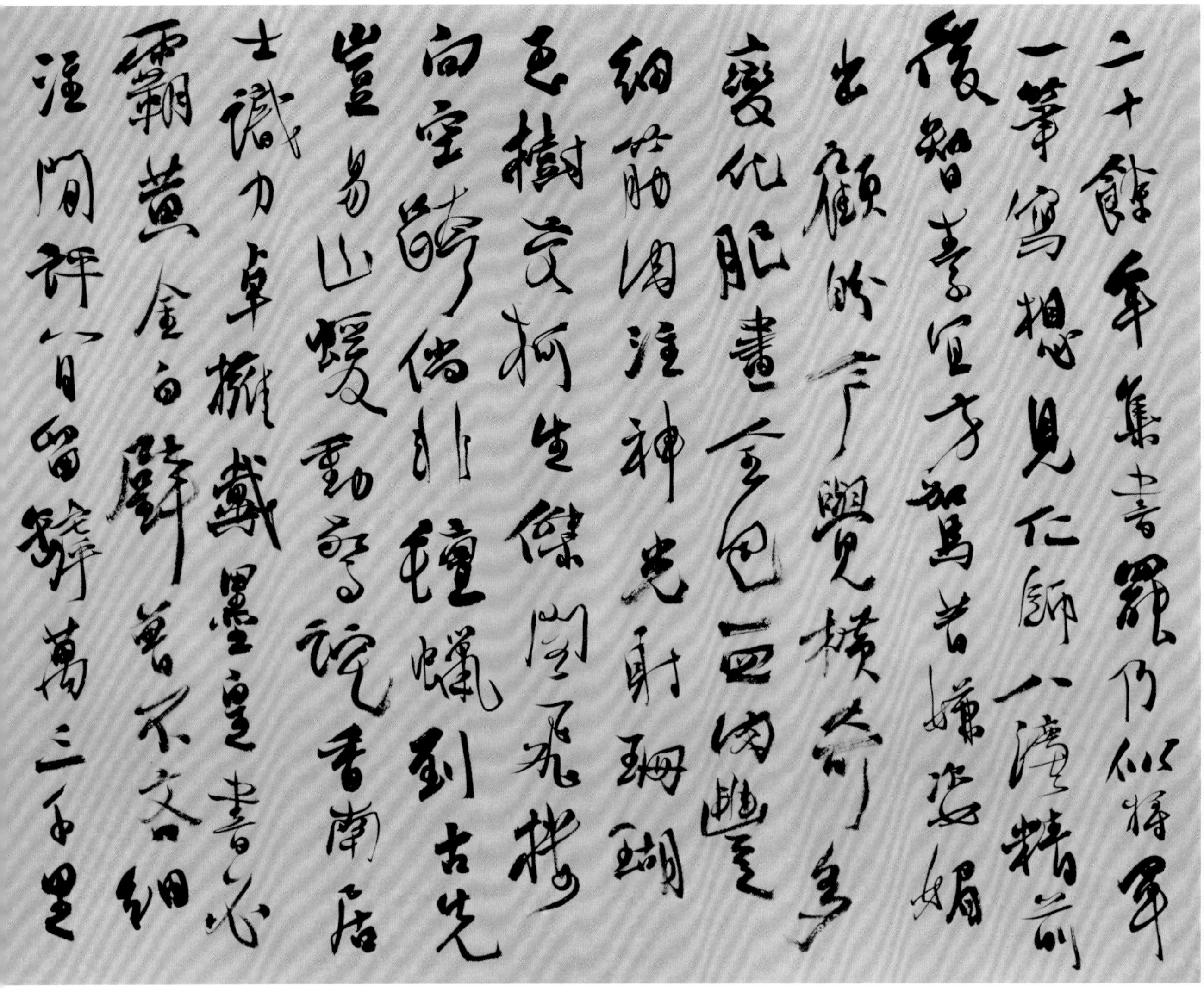

二十余年集书罢，乃似将军一笔写。想见仁师八法精，前后智素宜方驾。昔嫌姿媚出顾盼，今觉横奇多变化。肥画全包血肉丰，细筋肉注神光射。珊瑚玉树交柯生，杰阁飞楼向空跨。倘非毡蜡到古先，岂易山猿动惊诧。香南居士识力卓，拥戴墨皇书必霸。黄金白璧曾不吝，细注间评肯留罅。万三千里性命共，雪山泸定险不怕。归来一笑对妻子，古墨精灵相慰藉。我亦秘有棐几珍，（肥本黄庭）雨枕风帆随传舍。不知相望孰尹邢，谓宜并峙如嵩岑。开橱互赏寻妙龂，并几默观脱炎夏。延平剑气偶一合，光烛齐州天不夜。

惟余共云山隔空陌不恪
编来一顺对书子古墨精云
相磨藉我亦裾有些几珍
肥市黄庞雨枕风帆随传舍
董峙如崇口峯同帏豆贵春
不知相堕执而邪谓里
好断垂几點观眈茨友
延平到气陽一合光焰
齐州天又夜

见阿绍并墨里本圣
菱良发题之诗爱其墨颜
苍古用秀峰横生常观摩研
玩余用己意写之　鲁岩

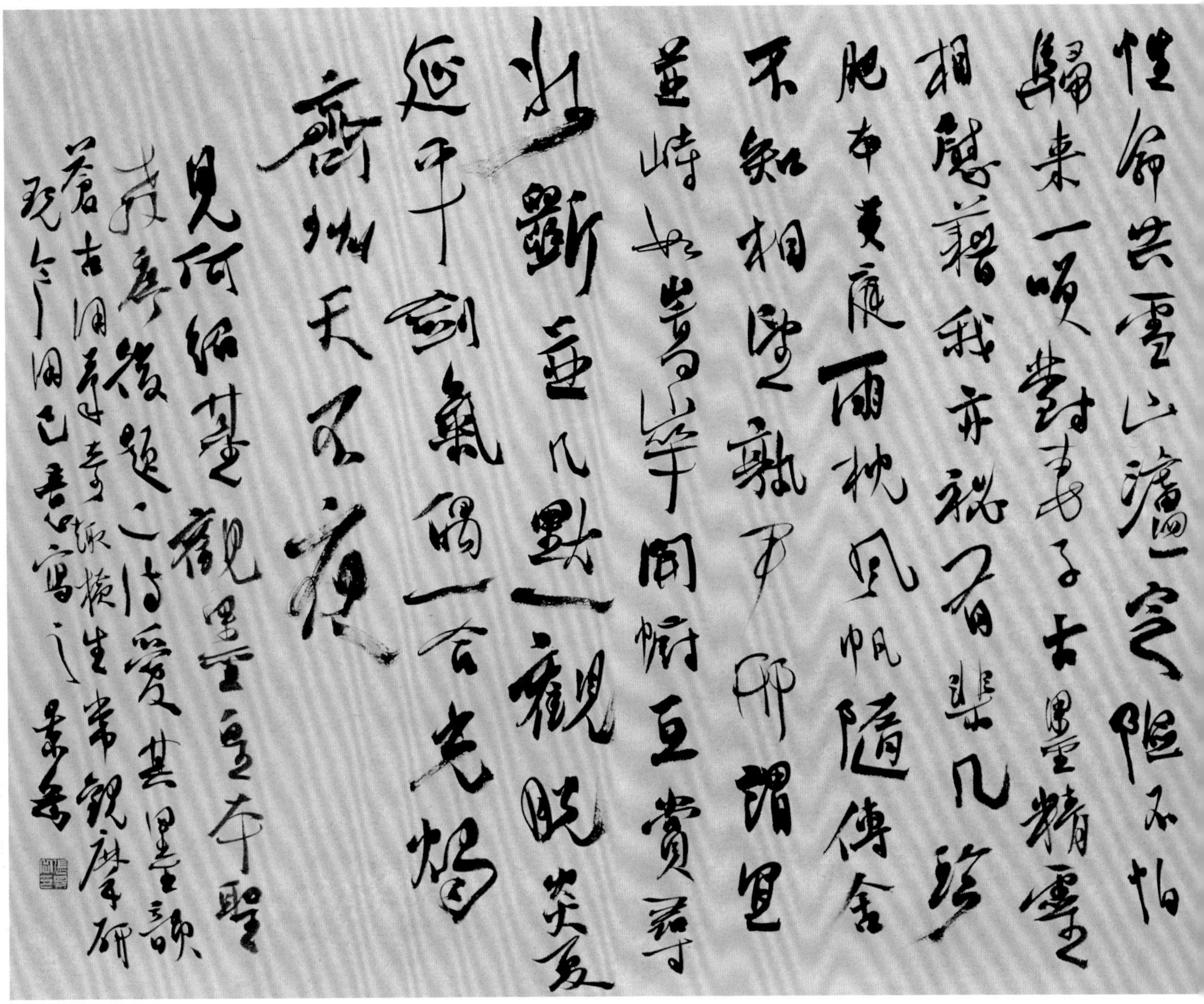

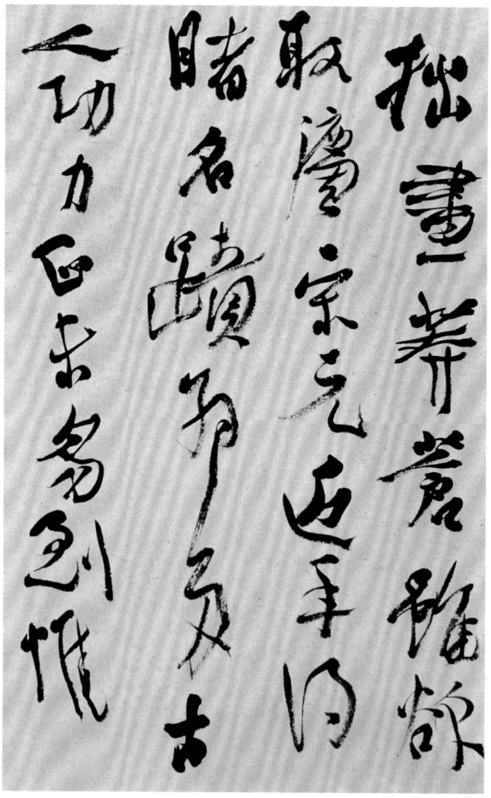

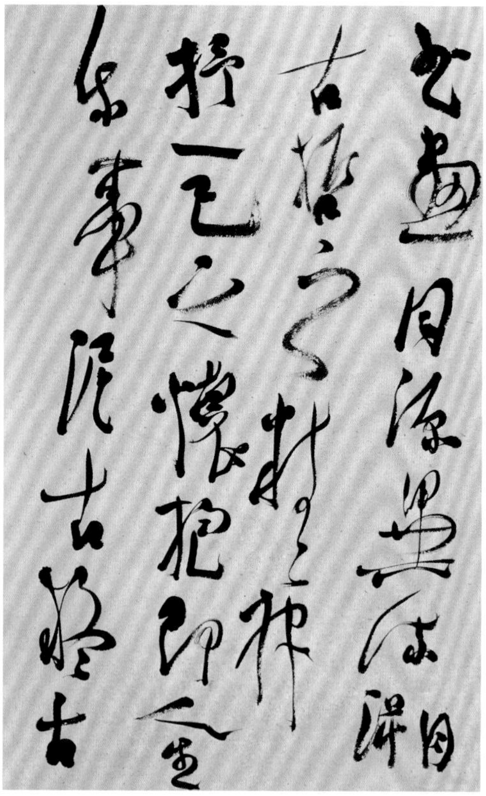

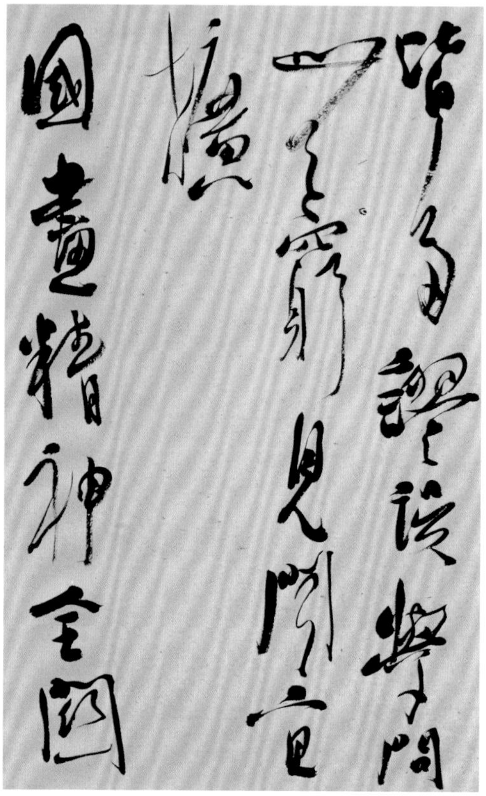

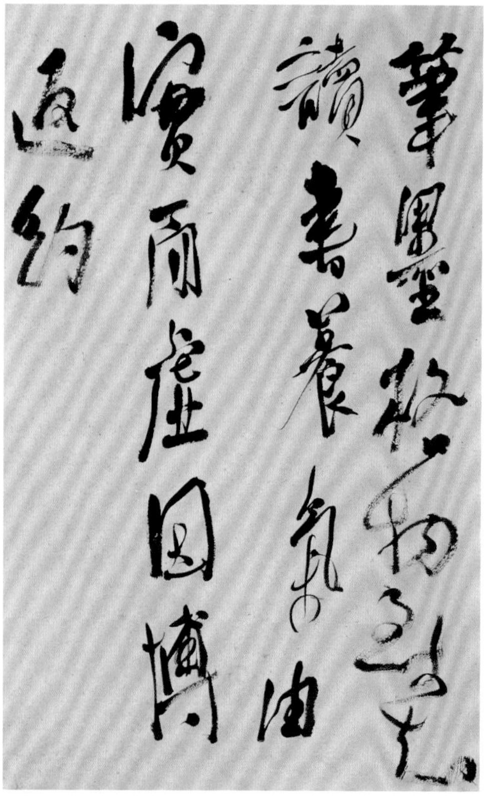

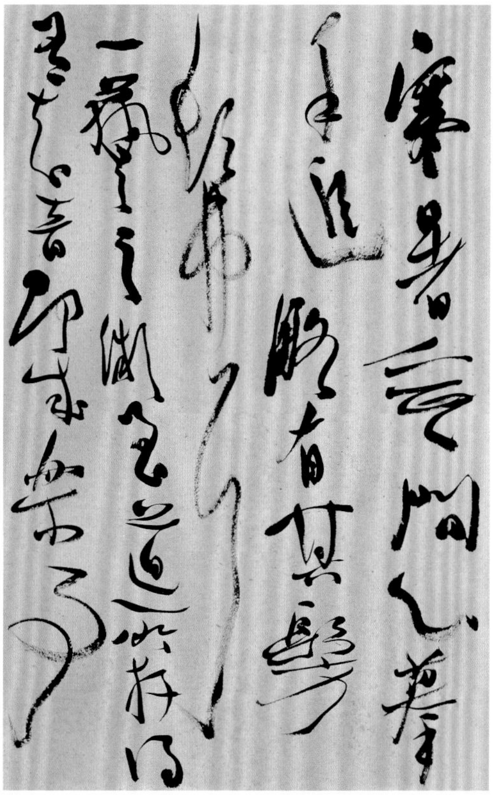

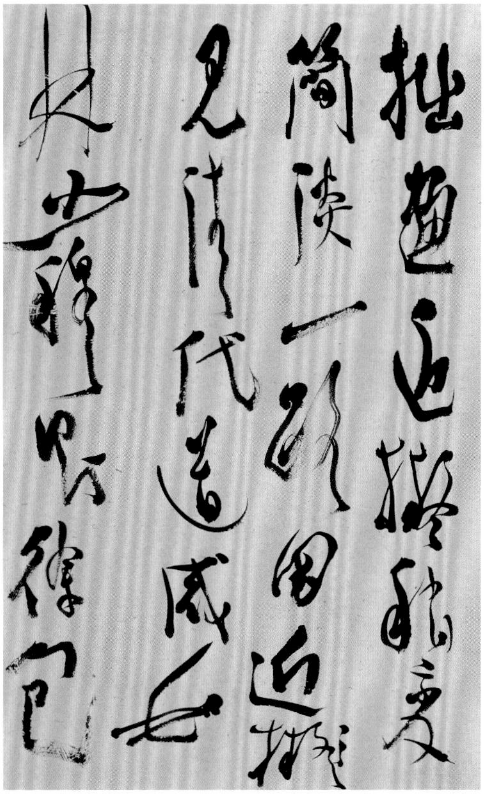

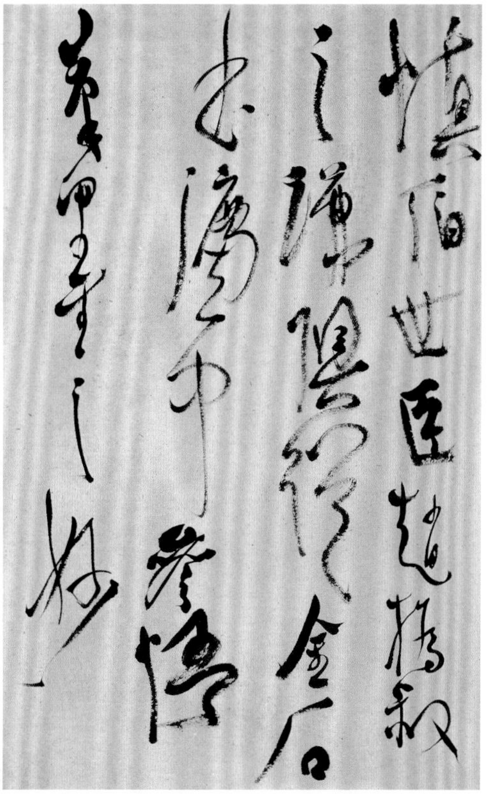

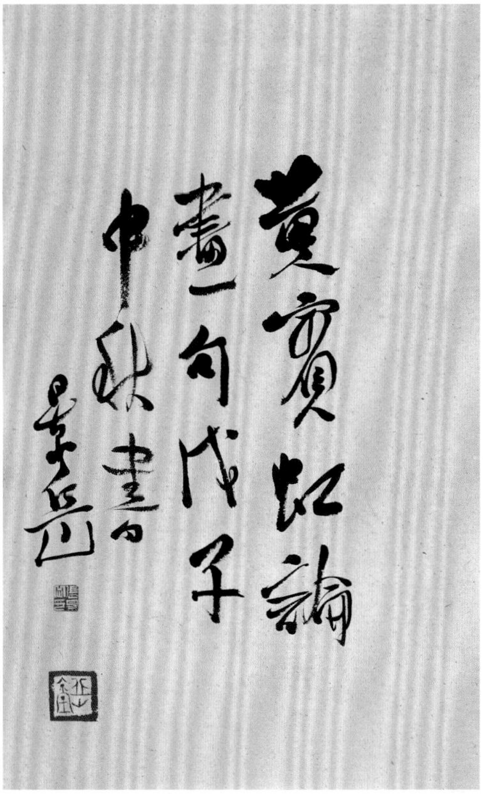

拙画莽苍，虽欲取法宋元，近年得睹名迹为多，古人功力正未易到。惟书画同源异流，溯古哲之精神，抒一己之怀抱，即人生乐事。泥古疑古皆多谬误。学问无穷，见闻宜扩。国画精神全关笔墨，格物致知，读书养气，由实而虚，因博返约。寒暑无间心摹手追，略有其仿佛耳。一艺之微至道所存，得有知音，即成乐事。拙画近拟稍变简淡一路，因近见清代道咸如林少穆则徐、包慎伯世臣、赵㧑叔之谦俱从金石书法中参悟笔墨之妙。黄宾虹论画句。戊子中秋书。

突兀隘空虚，他山总不如。
君看道傍石，尽是补天余。
众鸟高飞尽，孤云独去闲。
相看两不厌，唯有敬亭山。

半亩方塘一鉴开，天光云影共徘徊。
问渠那得清如许，为有源头活水来。

董玄宰

盧田叙畫

没骨真山水

自謂付與

僧刻月

青先生

丁卯三月□□

元人寫兎卉

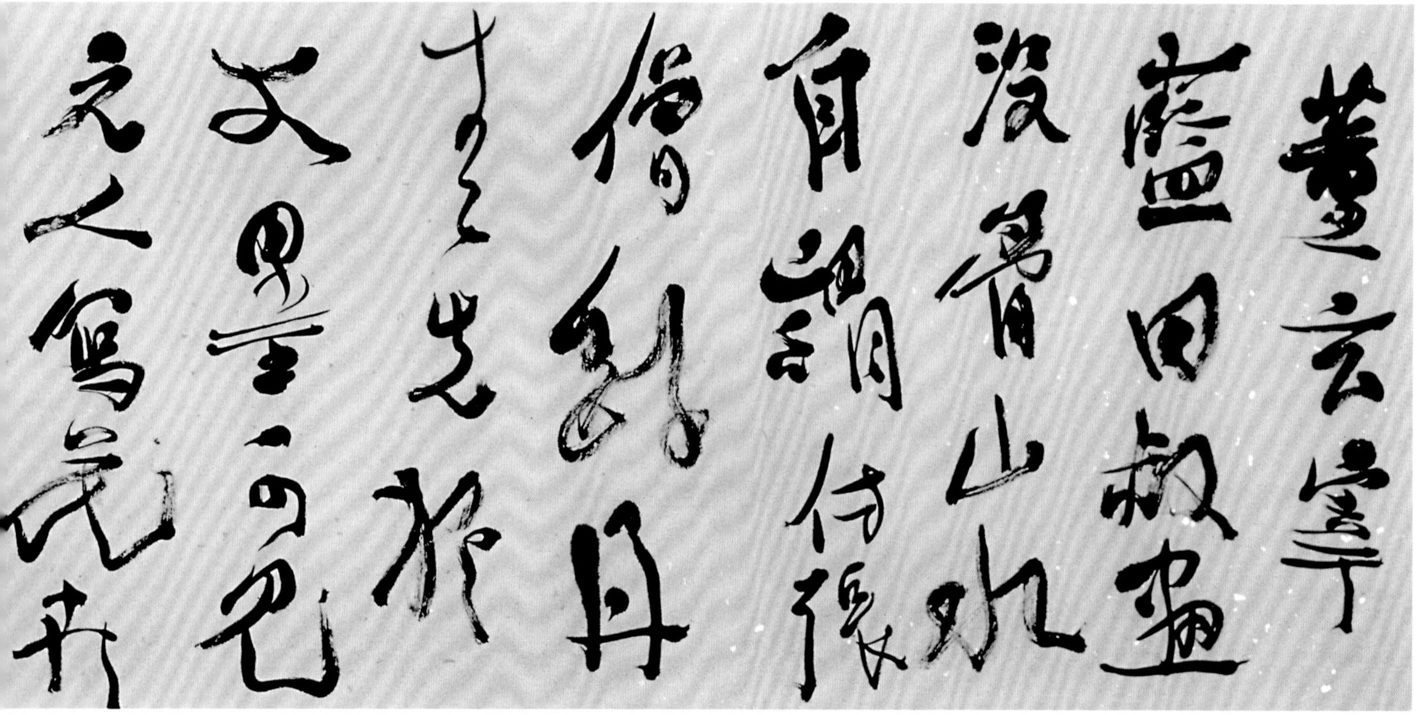

董玄宰、蓝田叔画没骨山水，自谓仿张僧繇，丹青先於水墨可见。元人写花卉，笔意简劲古厚，于理法极其严密，白阳、青藤犹有不逮。

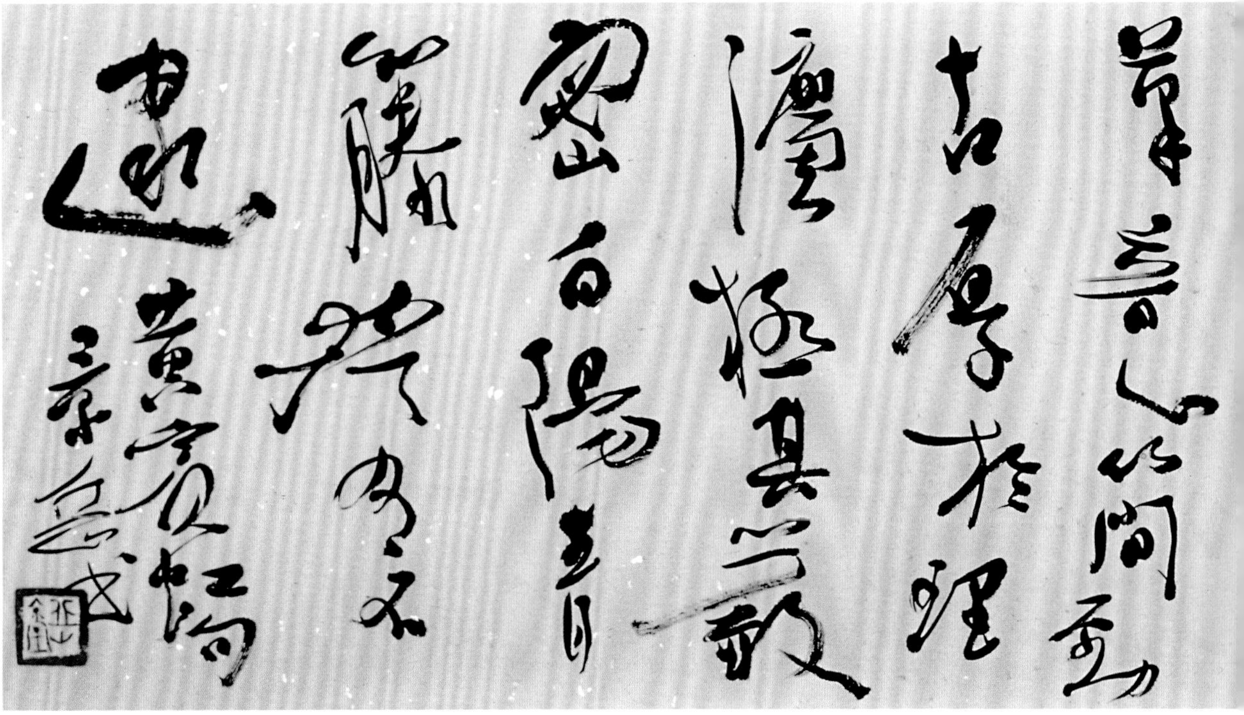

元人层峦叠巘，淡而弥厚。高出唐宋急于求脱，即蹈轻率之习。清道咸中，画追北宋。先由倪黄筑基故胜。

看山读画之余，漫兴写此。

迴临沧海曙
独峙大荒秋

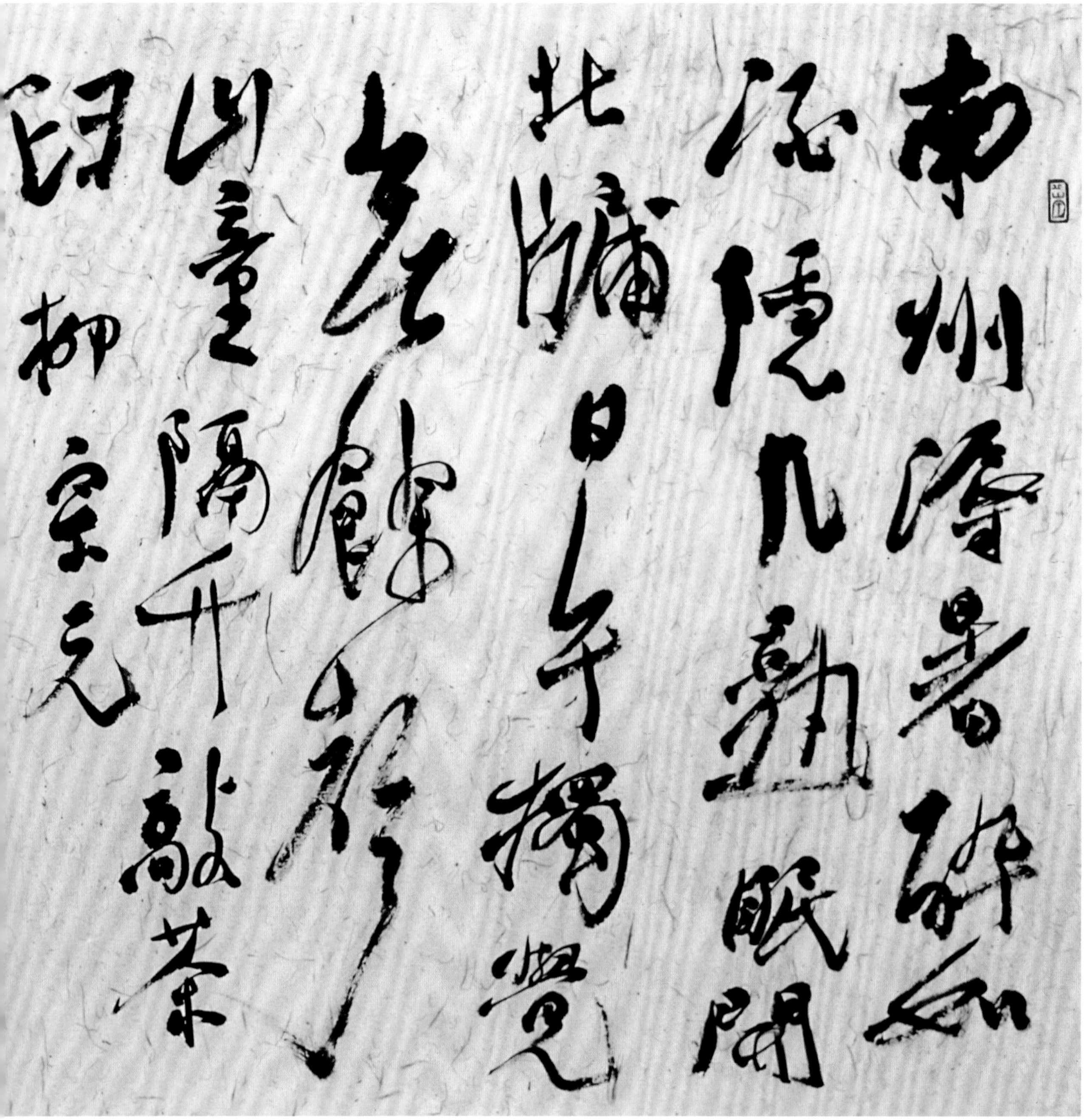

南州溽暑醉如酒，隐几熟眠开北牖。
日午独觉无余声，山童隔竹敲茶臼。

糁径杨花铺白毡，点溪荷叶叠青钱。
笋根稚子无人见，沙上凫雏傍母眠。

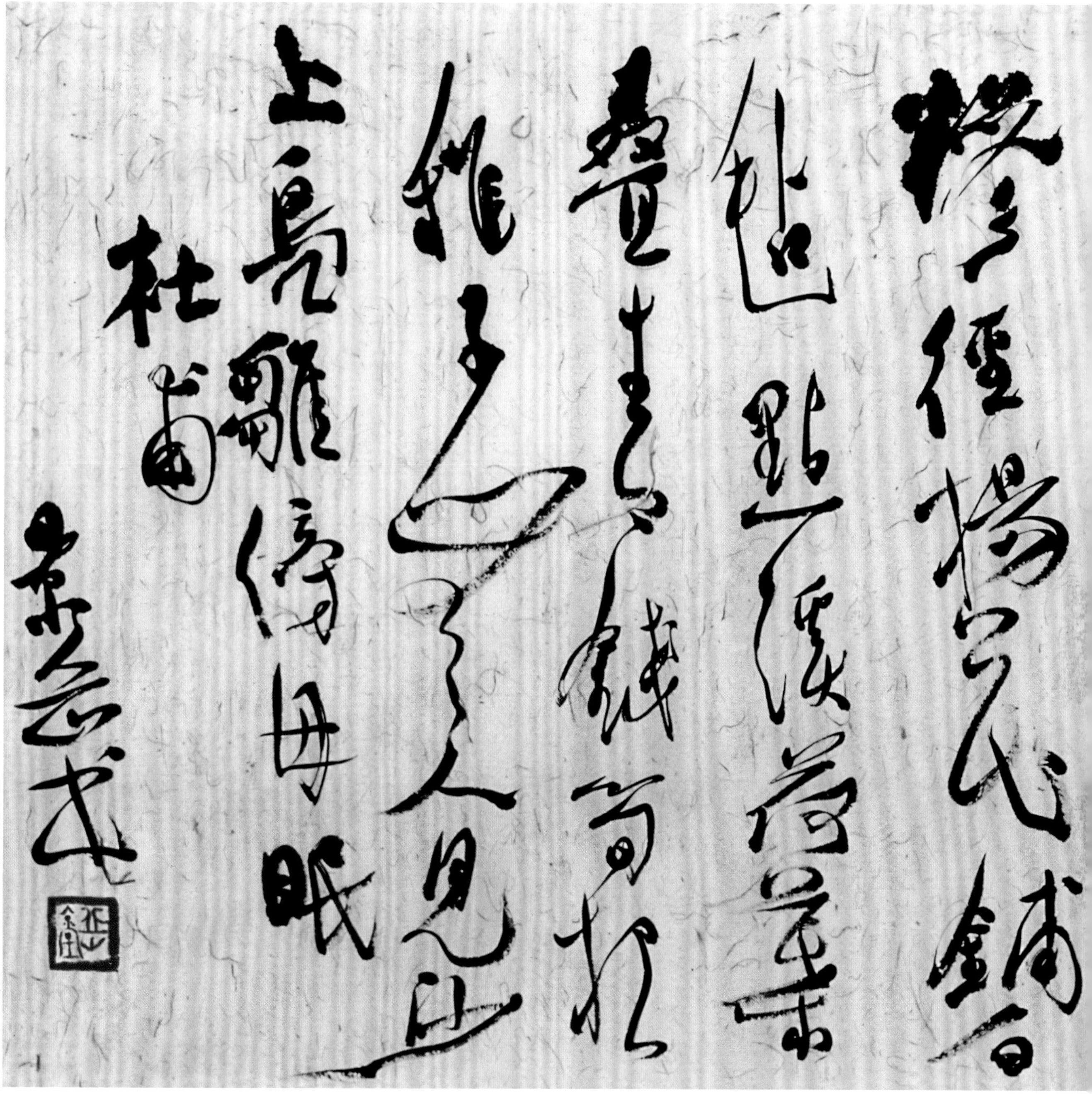

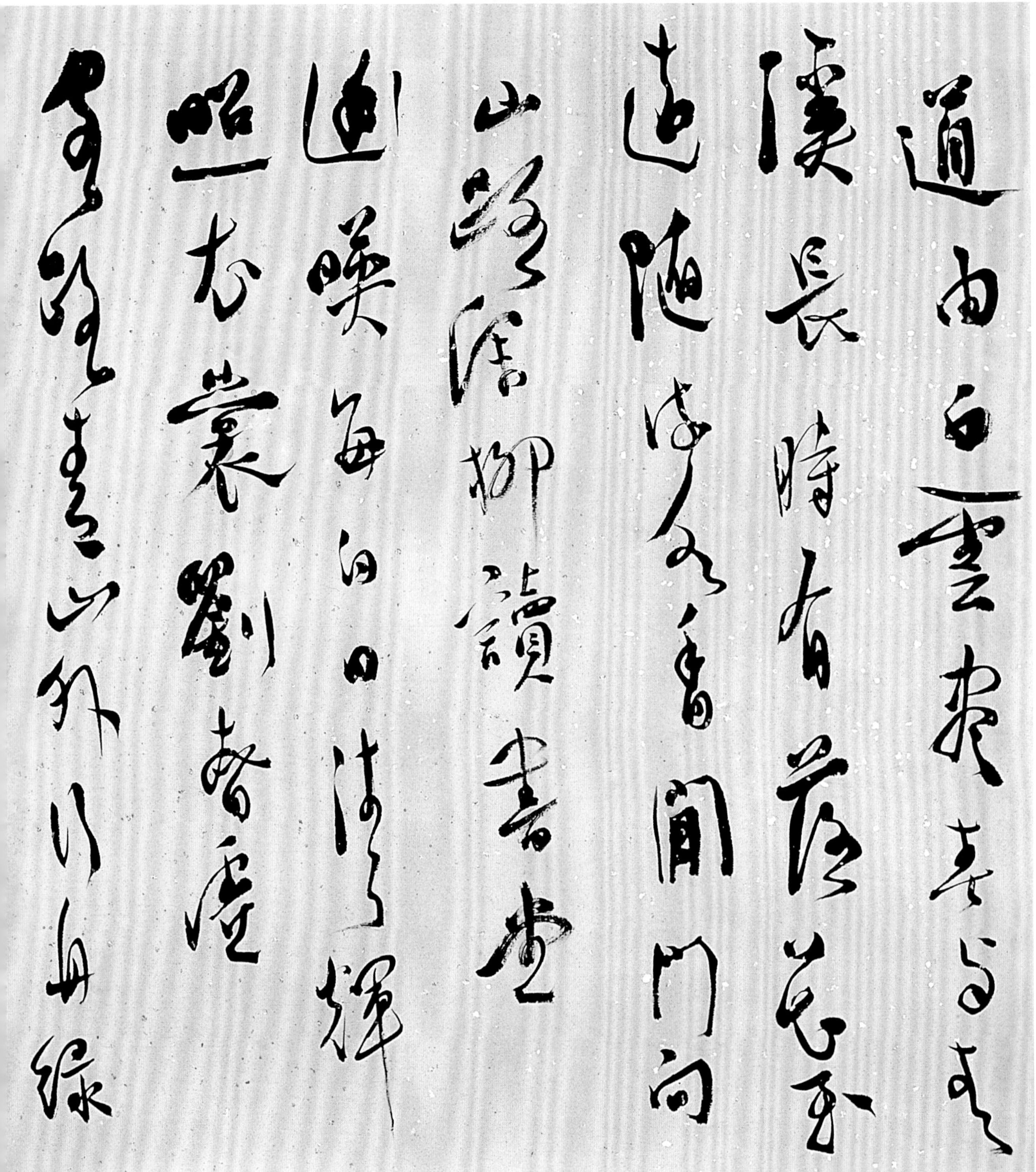

道由白云尽，春与青溪长。时有落花至，远随流水香。
闲门向山路，深柳读书堂。幽映每白日，清辉照衣裳。
客路青山外，行舟绿水前。潮平两岸失，风正一帆悬。
海日生残夜，江春入旧年。乡书何处达，归雁洛阳边。

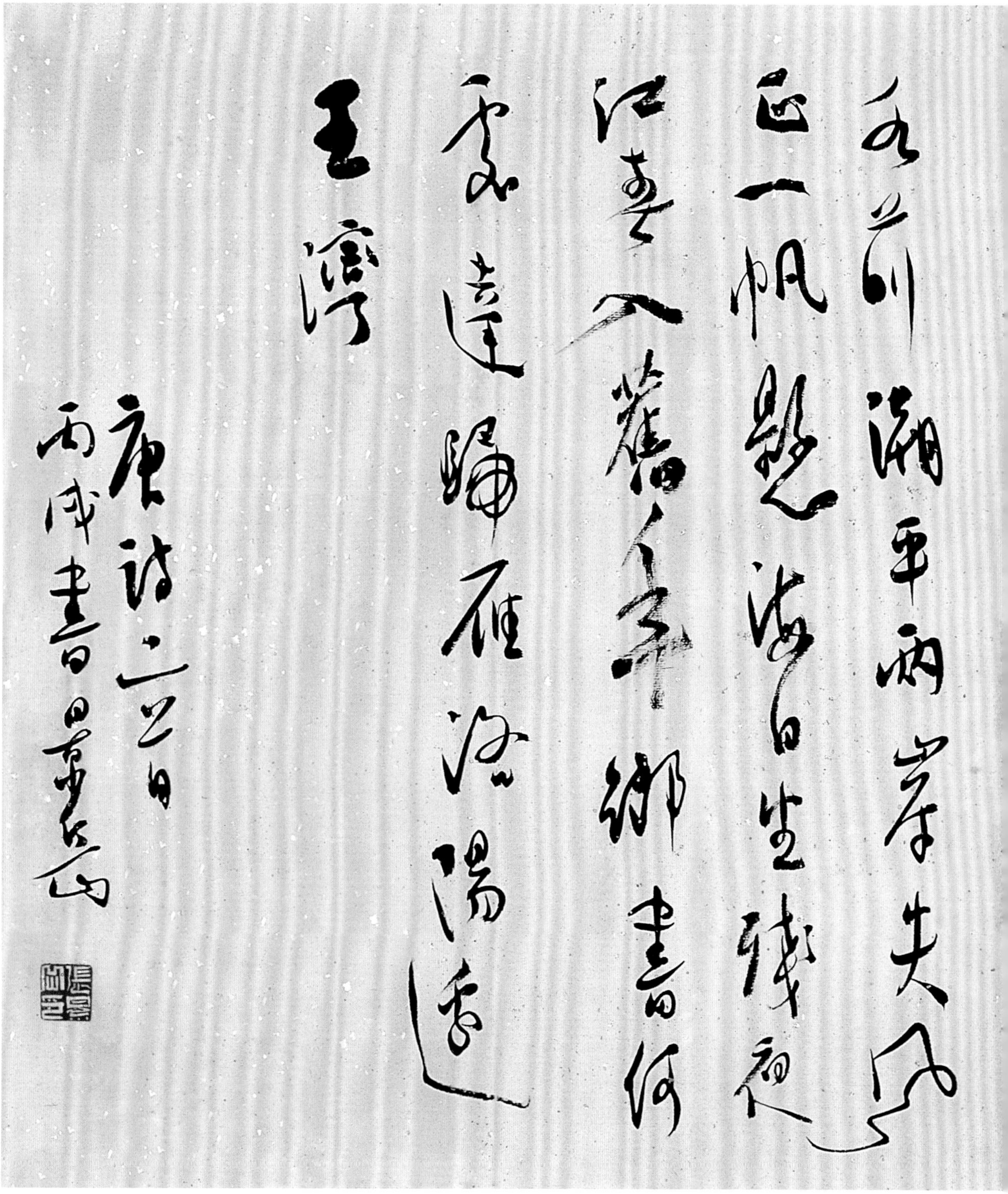
水前潮平两岸阔风
正一帆悬海日生残夜
江春入旧年乡书何
处达归雁洛阳边
王湾
丙戌春日

墨池烟霭花间露
茗鼎香浮竹外云

藏胸丘壑知无尽
过眼烟云且等闲

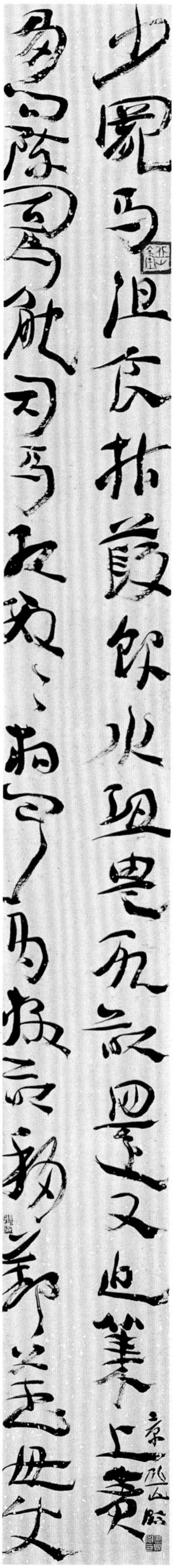

少罢马但食枯葭饮水恐尽死欲还又迫策上责多
问陈司马毹司马愿数数相闻为檄欲移鄯善毋使

竹坞无尘水槛清，相思迢递隔重城。
秋阴不散霜飞晚，留得枯荷听雨声。

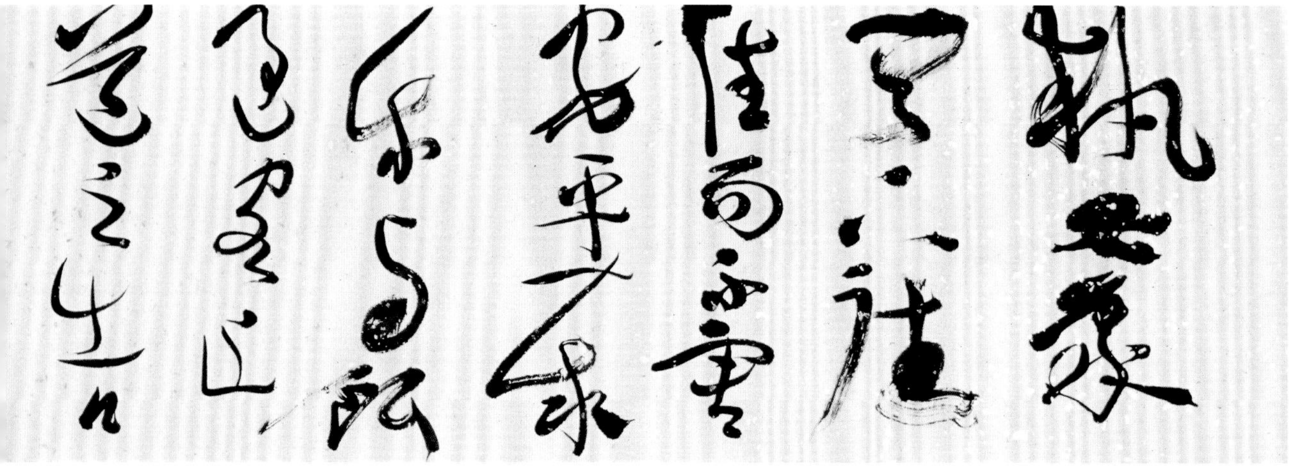

执大象，天下往。往而不害，安平泰。乐与饵，过客止。道之出口，淡乎其无味。视之不足见，听之不足闻，用之不可既。

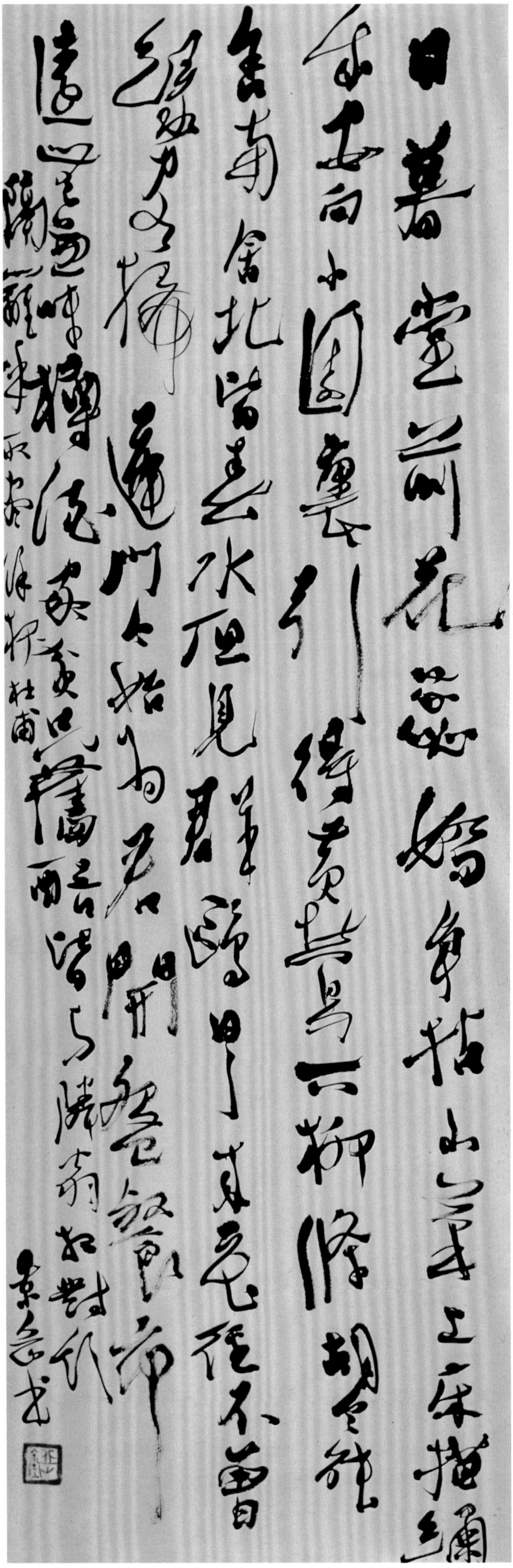

日暮堂前花蕊娇，争拈小笔上床描。
绣成安向小园里，引得黄莺下柳条。
舍南舍北皆春水，但见群鸥日日来。
花径不曾缘客扫，蓬门今始为君开。
盘餐市远无兼味，樽酒家贫只旧醅。
皆（肯）与邻翁相对饮，隔篱呼取尽余杯。

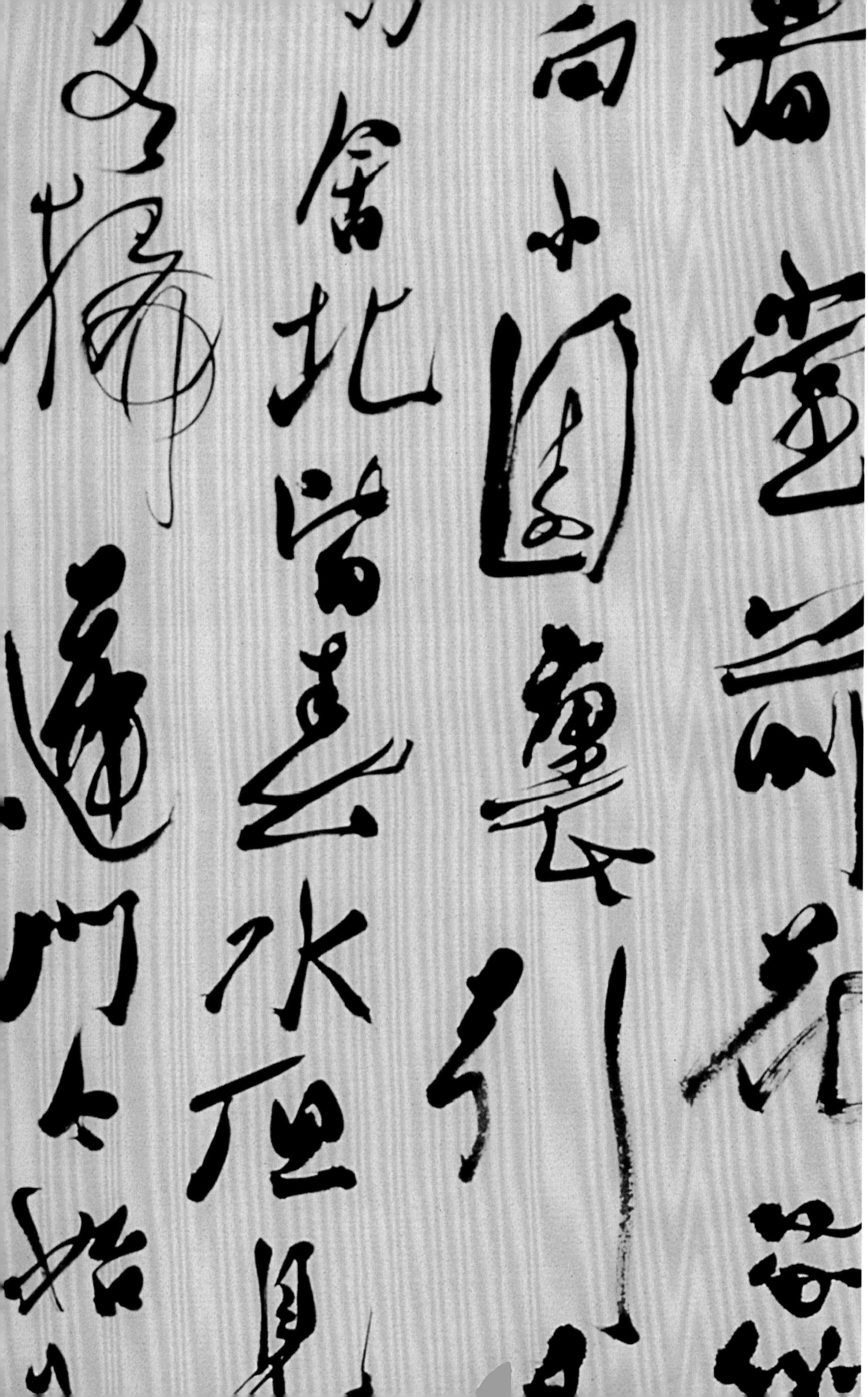

作品局部

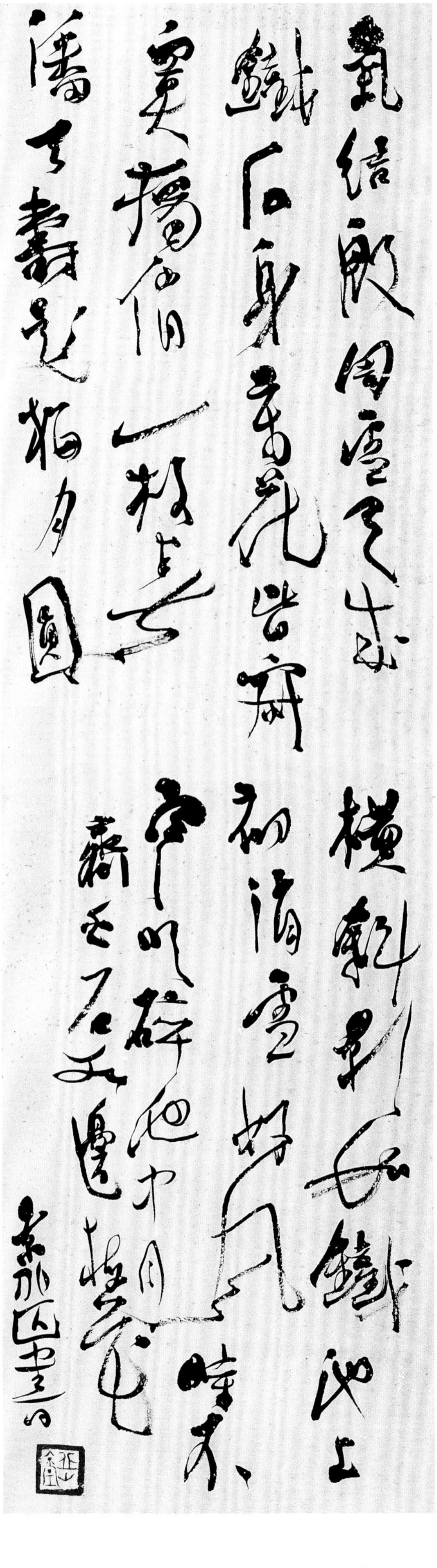

气结殷周雪，天成铁石身。
万花皆寂寞，独俏一枝春。
横斜影如铁，池上初消雪。
好风时不寒，吹碎池中月。

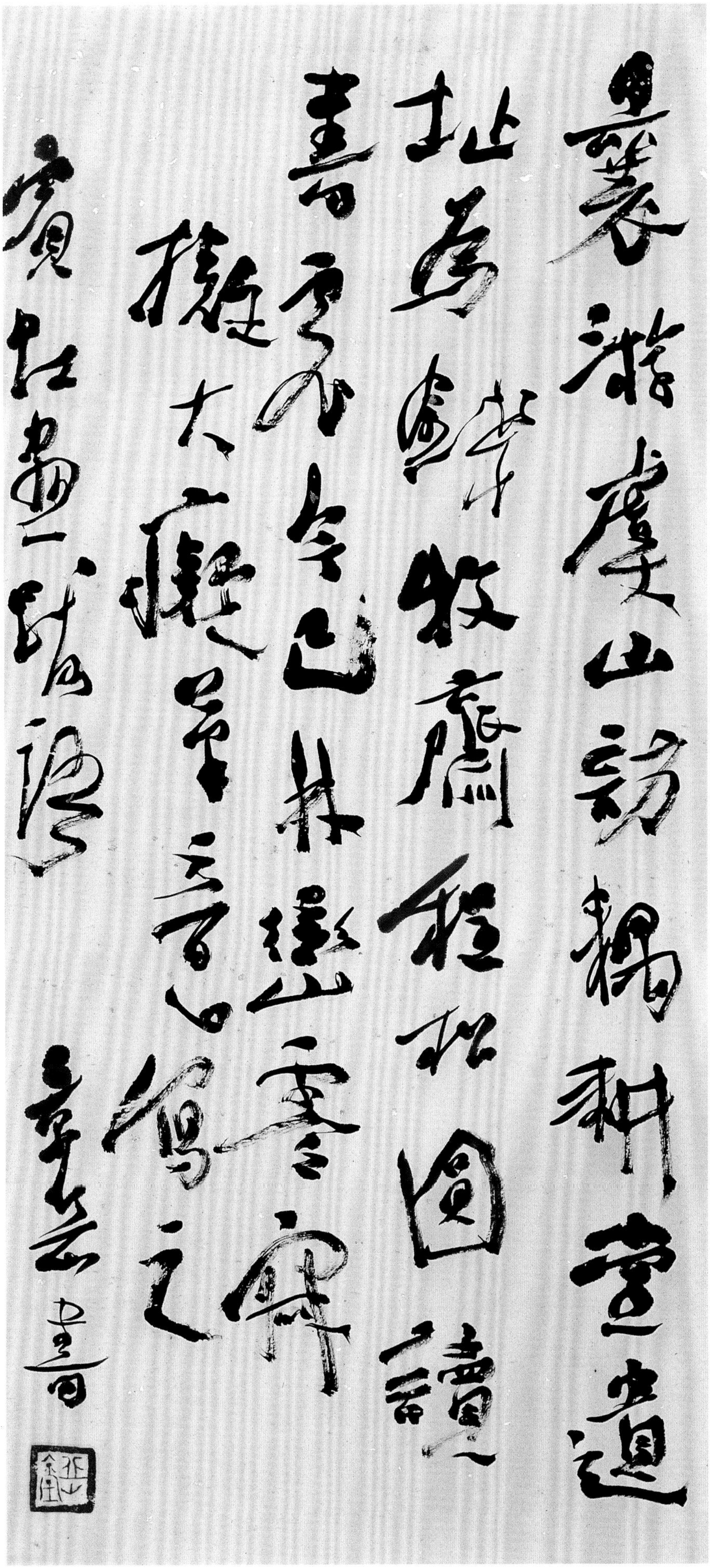

曩游虞山访耦耕堂遗址，为钱牧斋程松圆读书处，今已林峦零寂。拟大痴笔意写之。

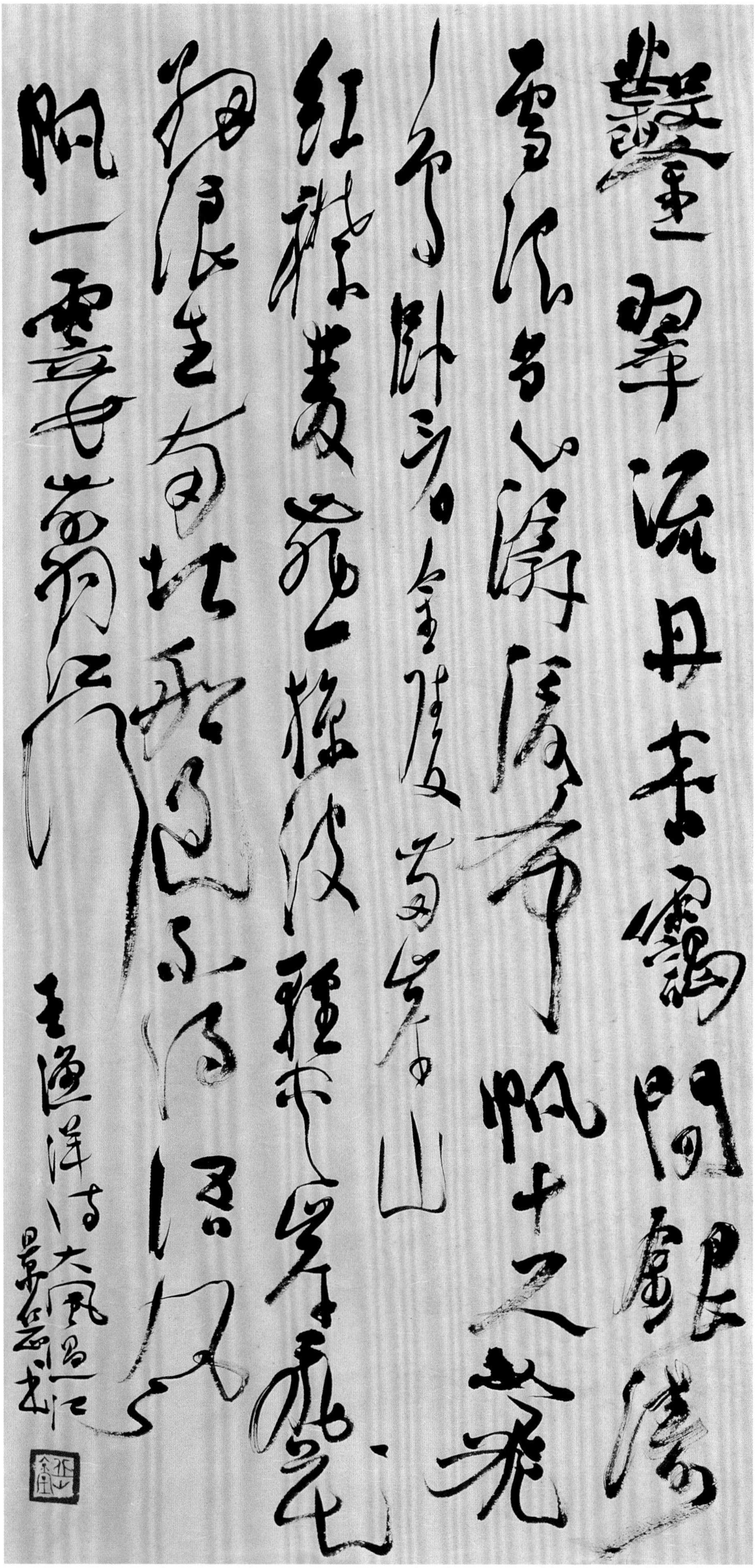

凿翠流丹杏霭间，银涛雪浪急潺湲。
布帆十尺如飞鸟，卧看金陵两岸山。
红襟双燕掠波轻，夹岸飞花细浪生。
南北船过不得语，风帆一霎翦江行。

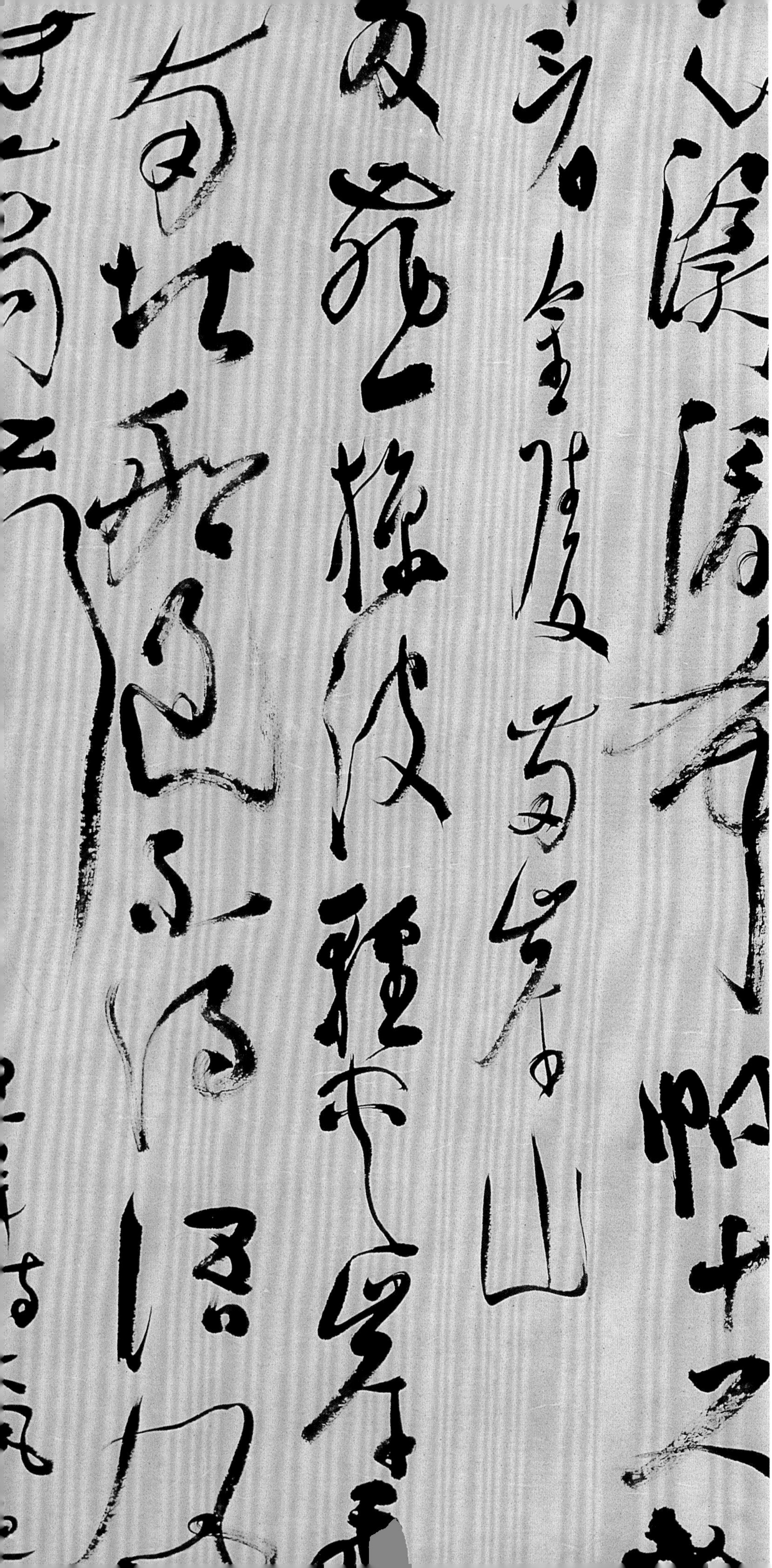

作品局部

绿蚁新醅酒，红泥小火炉。
晚来天欲雪，能饮一杯无。

作品局部

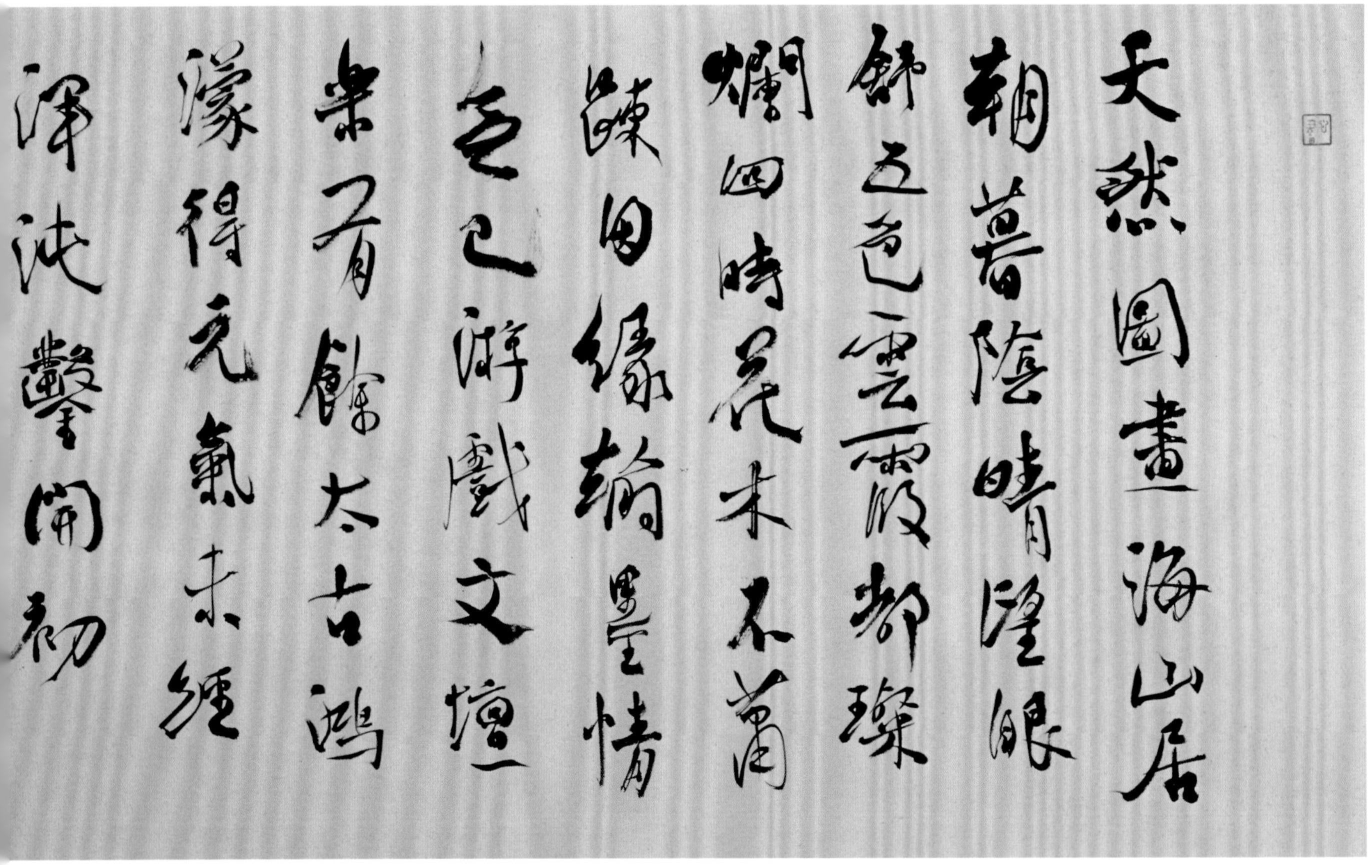
天然圖畫海山居
朝暮陰晴隨眼
舒五色雲霞都璨
爛四時花木不蕭
疎因緣翰墨情
無已游戲文壇
樂有餘太古鴻
濛得元氣未經
渾沌鑿開初

天然图画海山居，朝暮阴晴望眼舒。五色云霞都璨烂，四时花木不萧疏。因缘翰墨情无已，游戏文坛乐有余。太古鸿濛得元气，未经浑沌凿开初。岁月劳奔驰，图画入平野。读书凉雨余，闲境我心写。

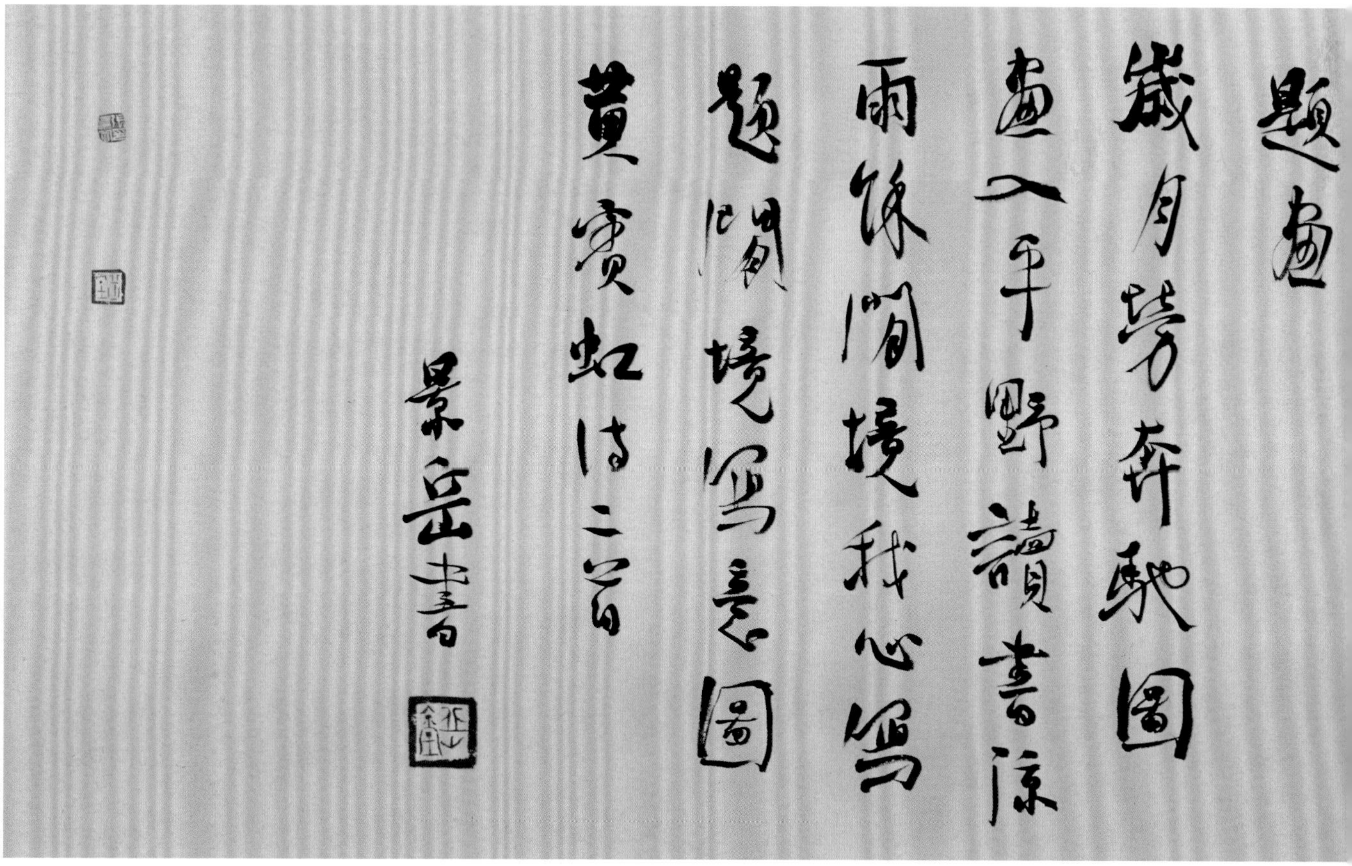

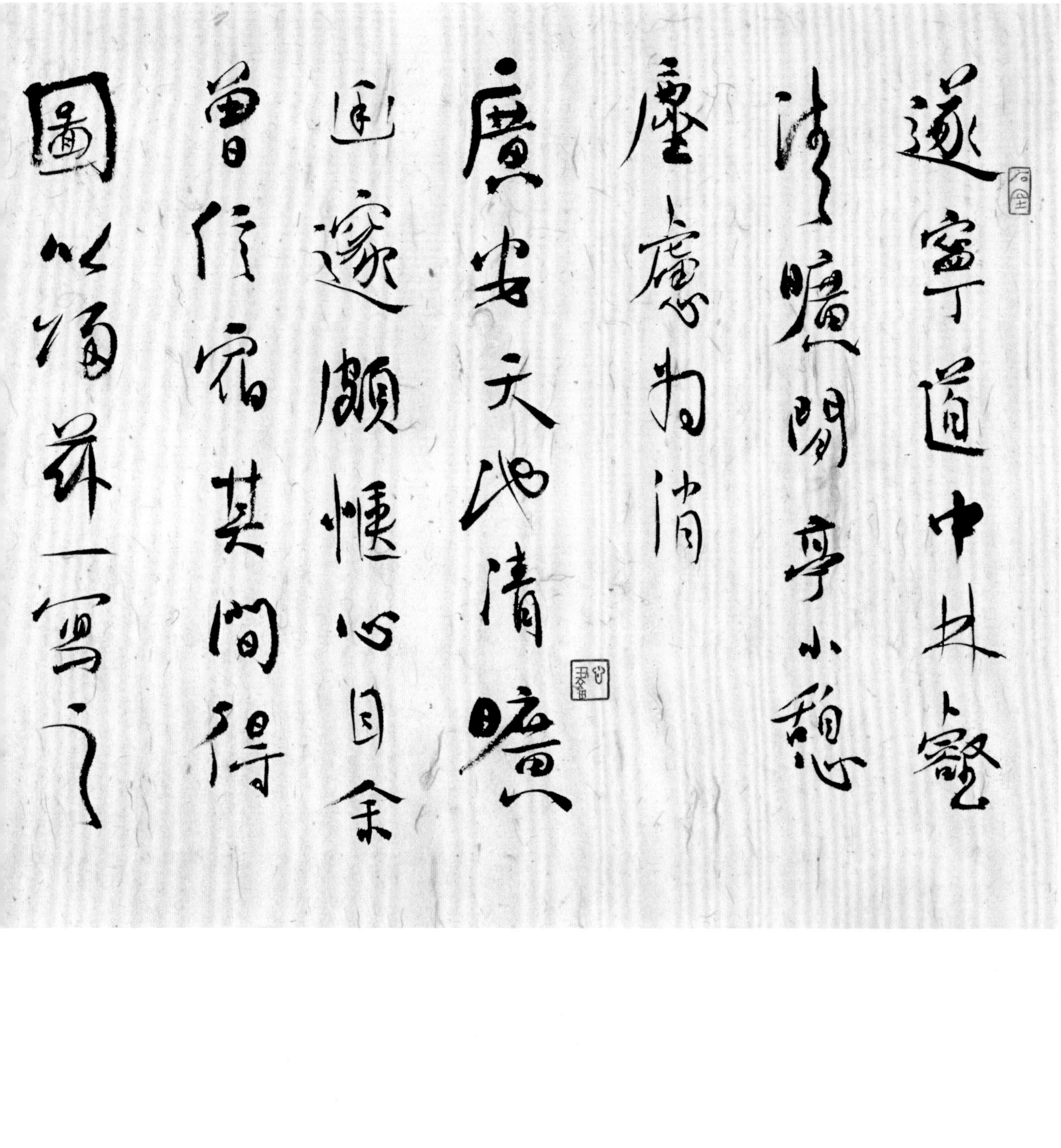
遂寧道中林壑
清曠閉亭小憩
塵慮物消
廣安天池清曠
迥邃灝愜心目余
曾宿其間得
圖以隨筆一寫之

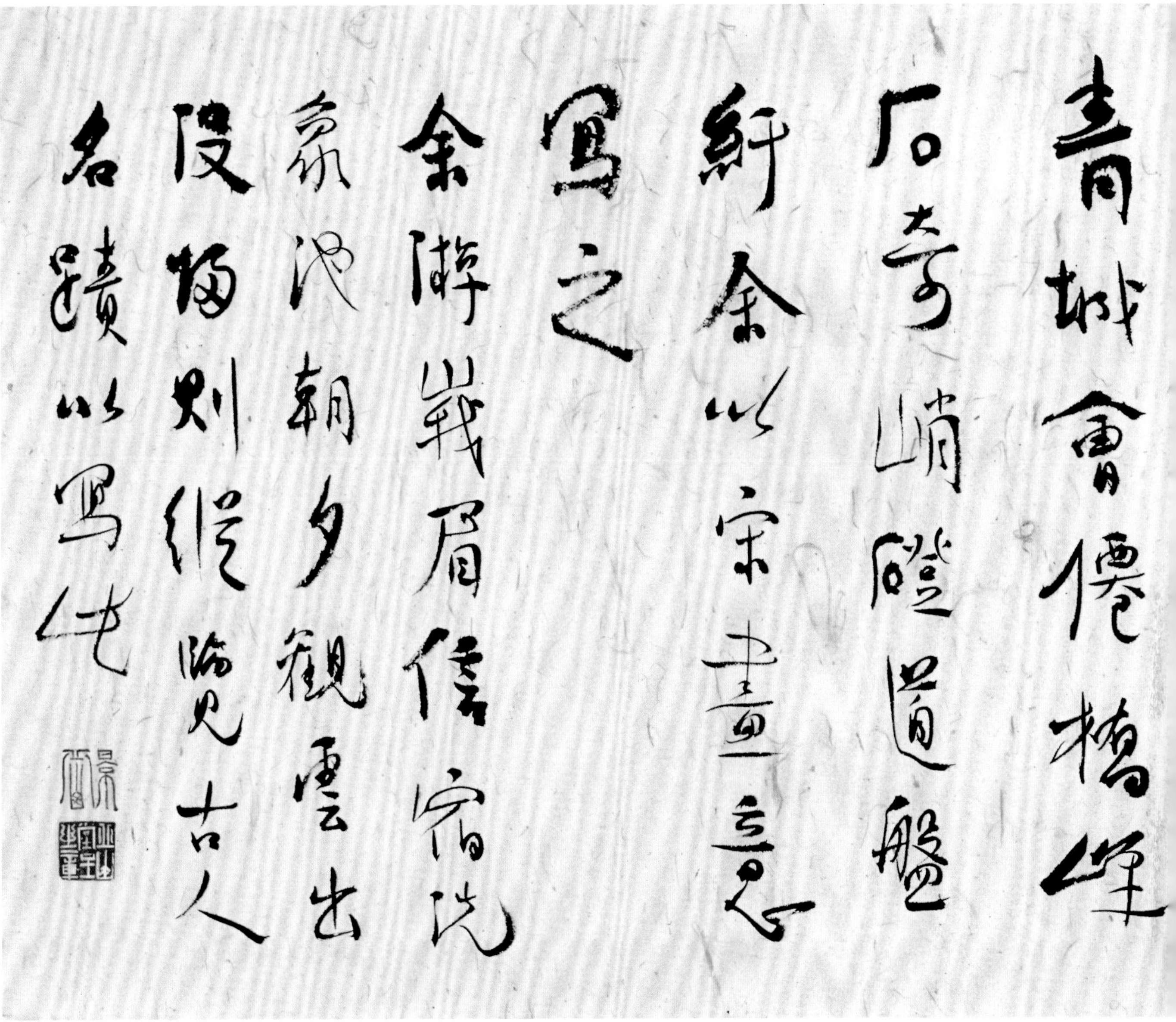
青城會僊橋峰
石奇峭磴道盤
紆余以宋畫意
寫之
余游峨眉信宿洗
象池朝夕觀雲出
沒歸則縱覽古人
名蹟以寫此

遂宁道中，林壑清旷，闲亭小憩，尘虑为消。广安天池清旷幽邃，颇惬心目。余曾信宿其间，得图以归兹一写之。青城会仙桥，峰石奇峭，磴道盘纡，余以宋画意写之。余游峨眉，信宿洗象池，朝夕观云出没，归则纵览古人名迹以写此。

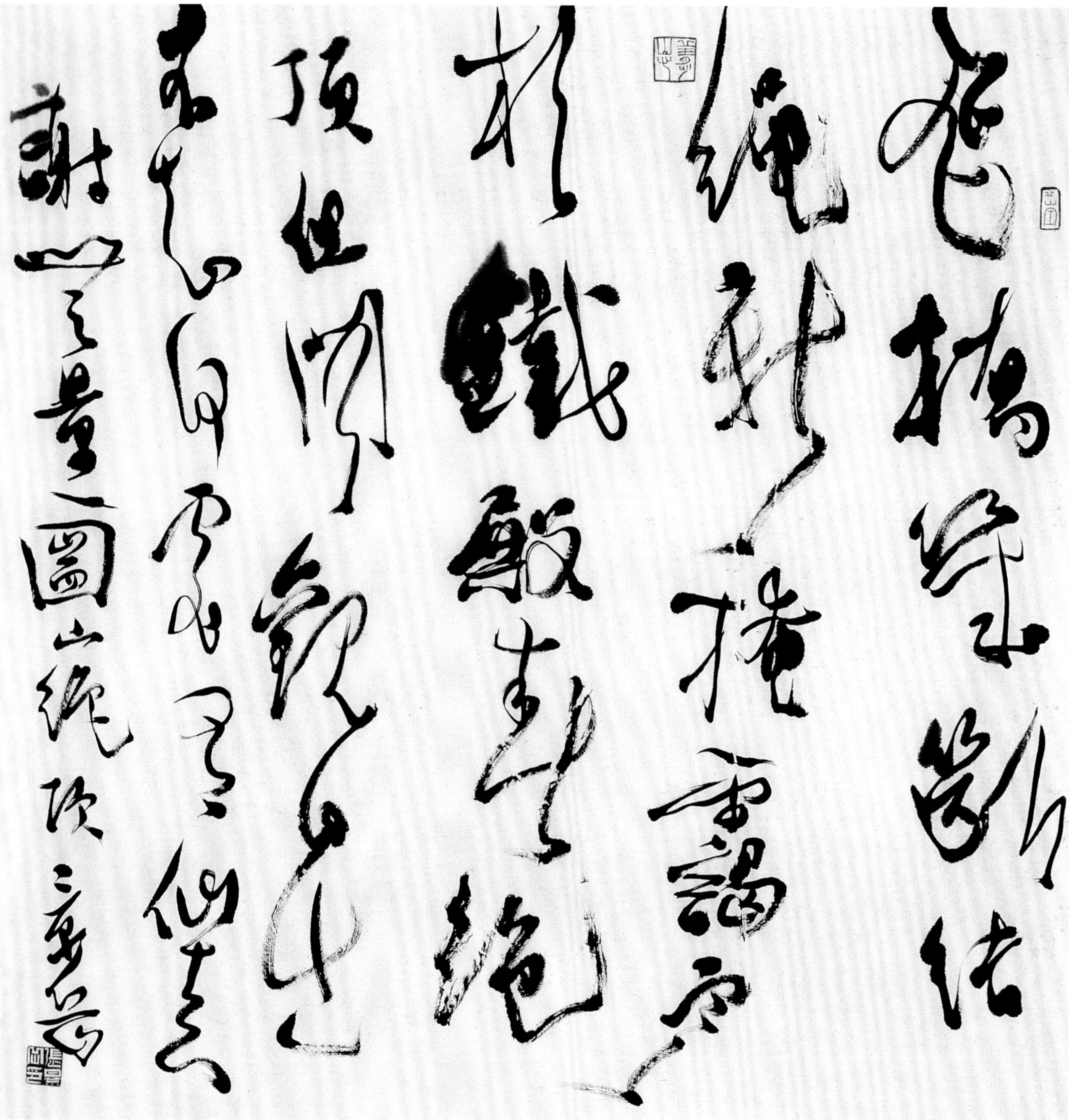

飞桥几断结绳新，掩霭寒杉铁殿春。
绝顶但闻观日出，不知何处有仙真。

作品局部

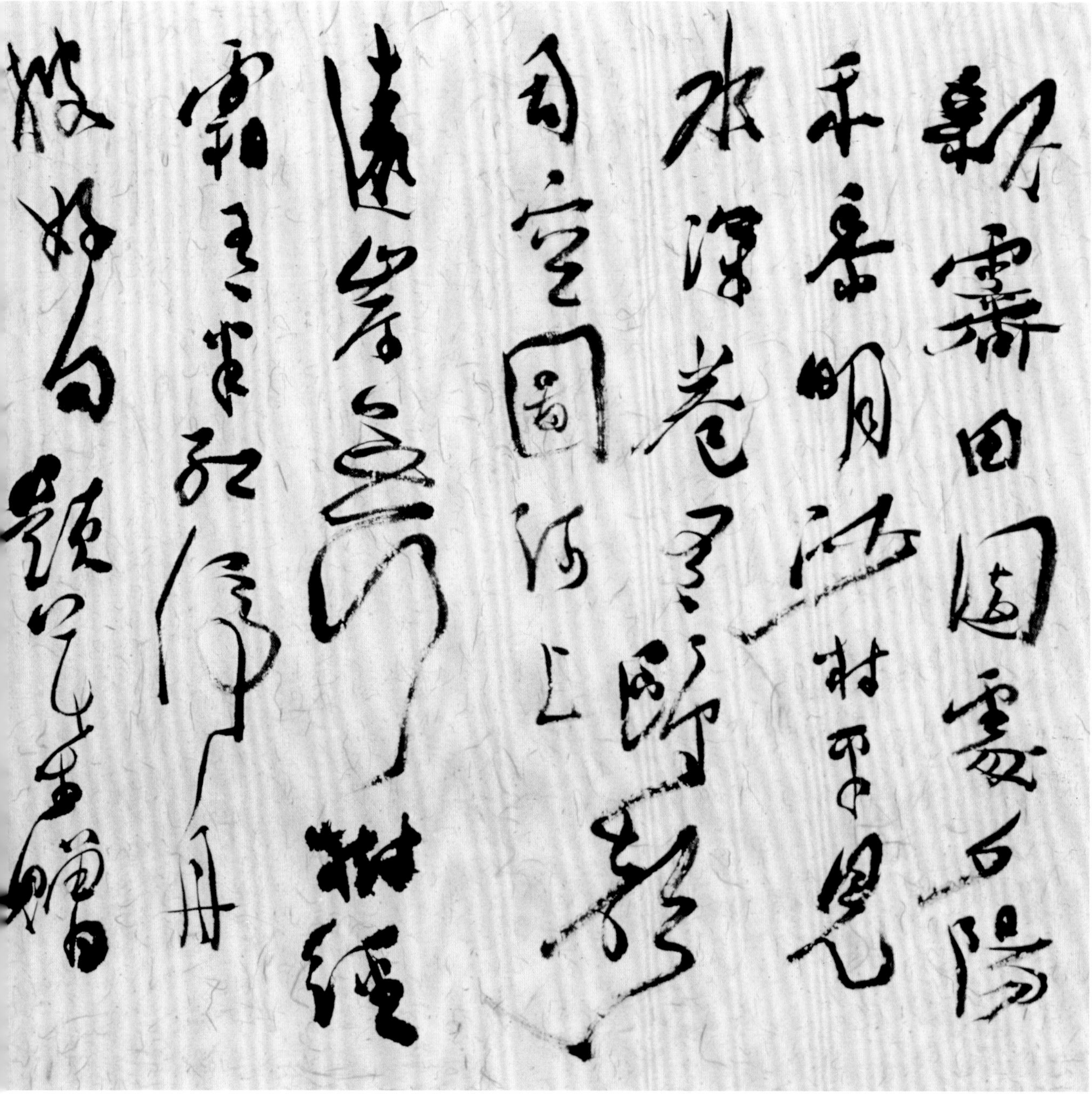

新霁田园处，夕阳禾黍明。沙村平见水，深巷有鸥声。
远岸无行树，经霜有半红。停舟披好句，题叶赠江枫。
风送出山钟，云霞度水浅。欲知声尽处，鸟灭寥天远。

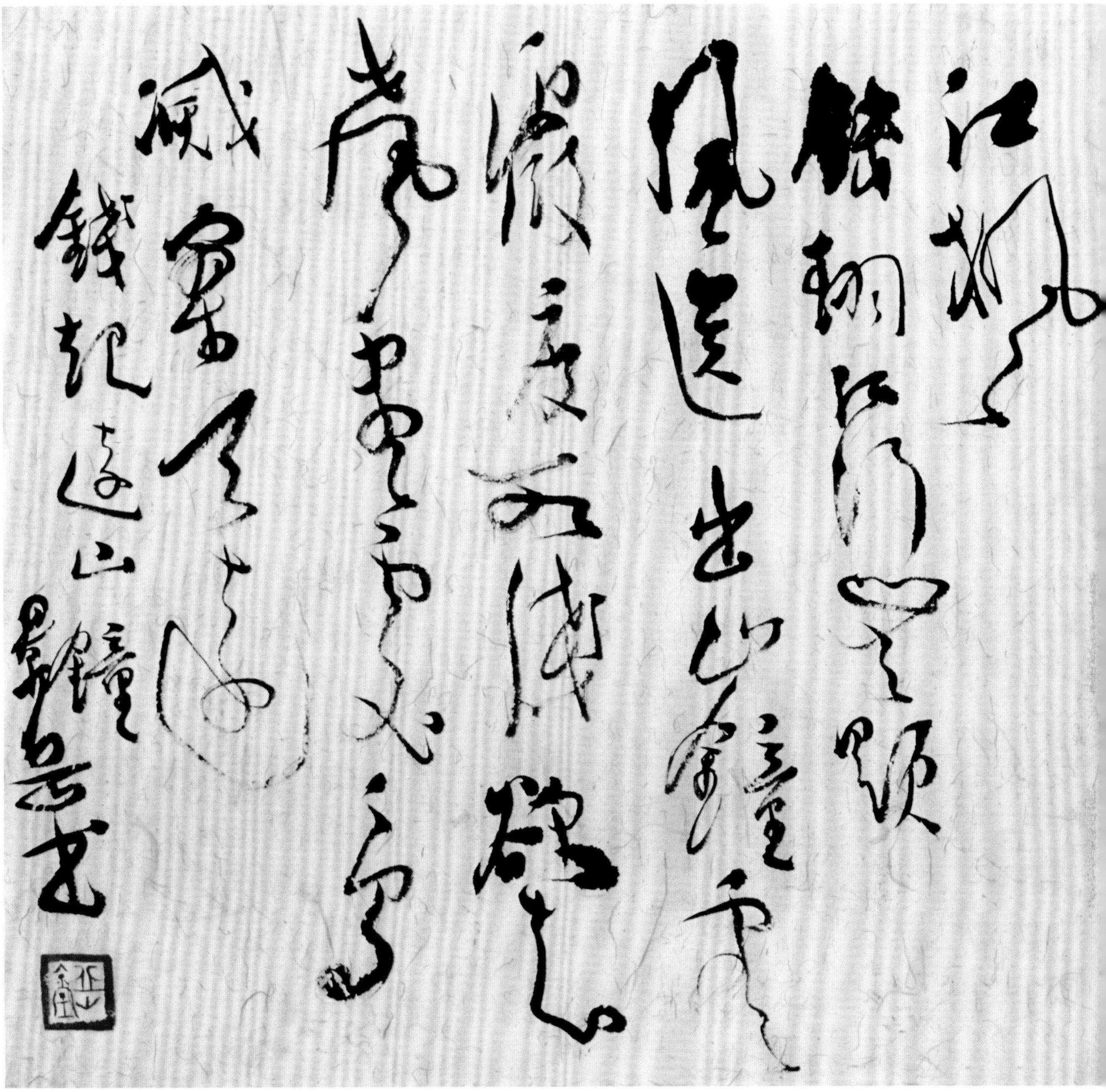

咬定青山不放松，立根原在破岩中。
千磨万击还坚劲，任尔东西南北风。

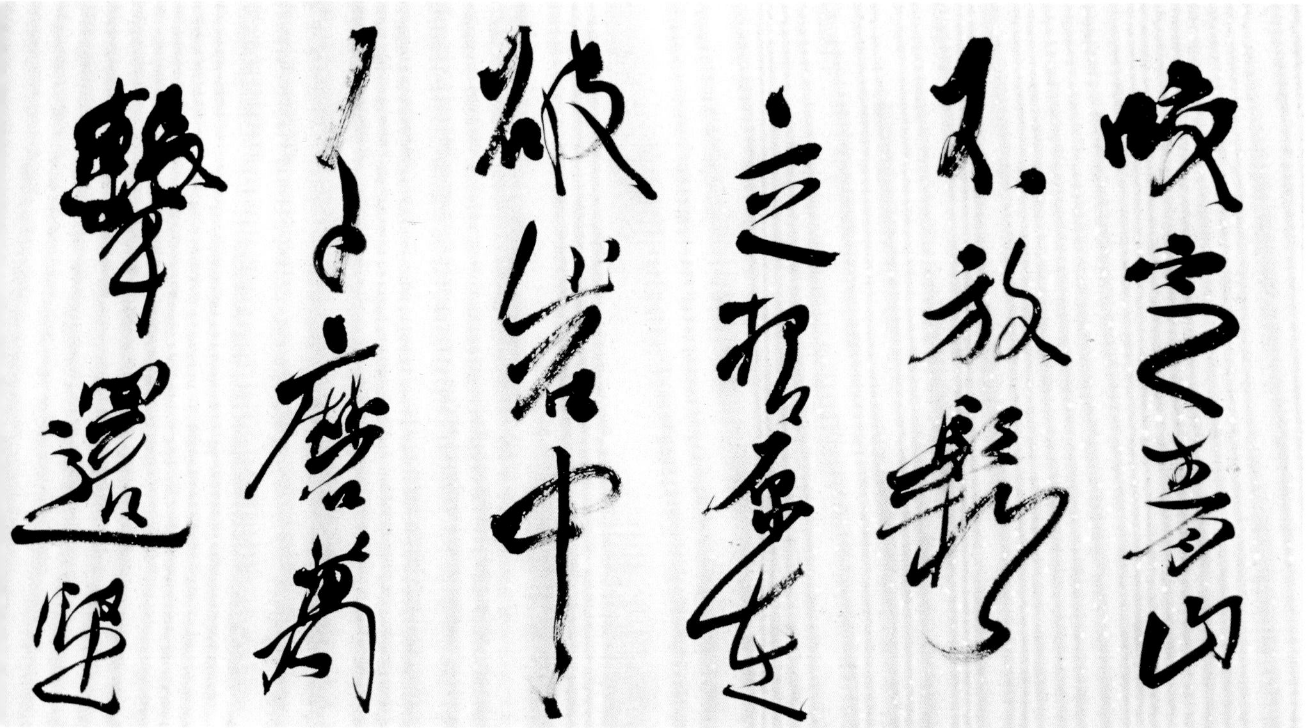

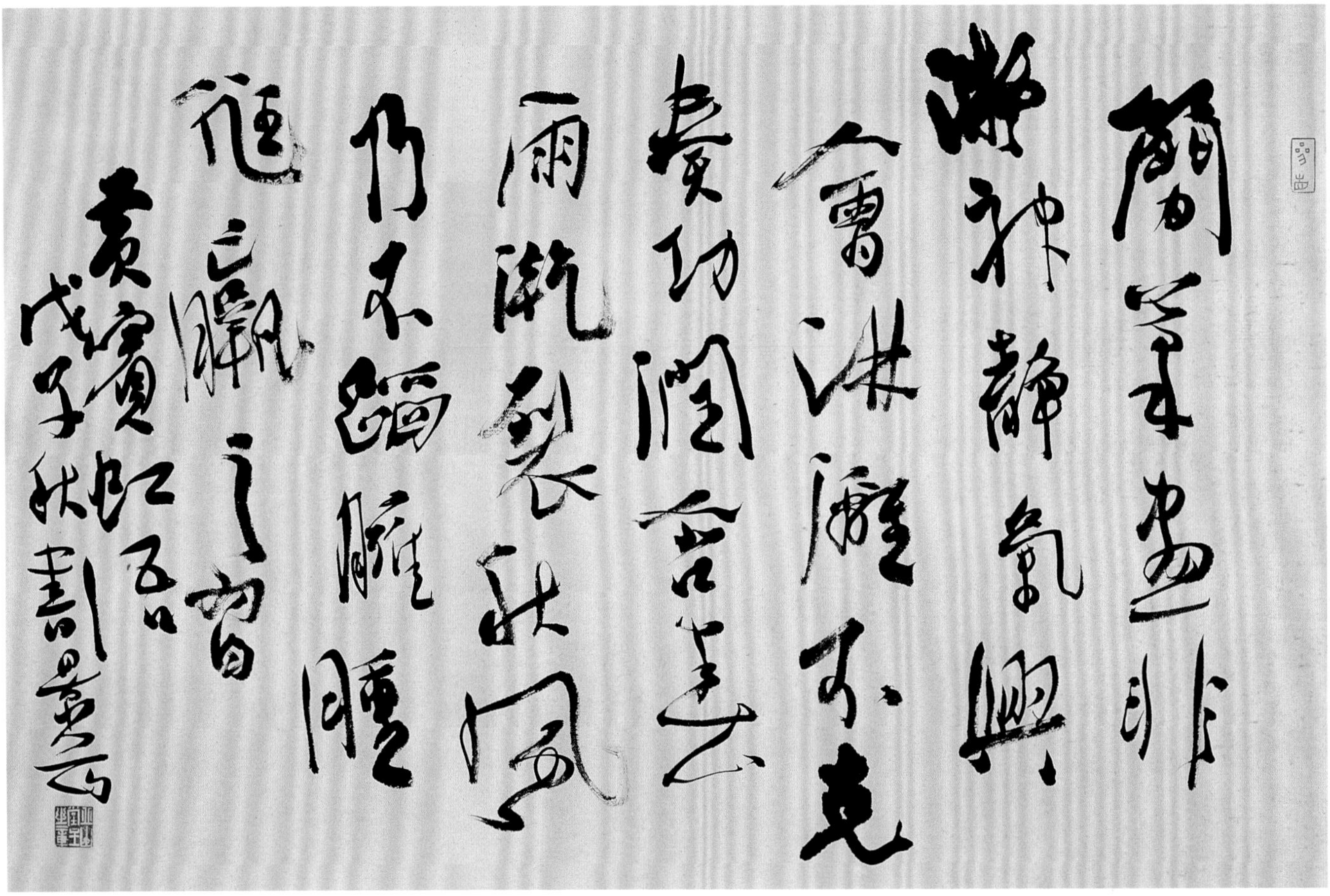

简笔画非凝神静气、兴会淋漓不克奏功。润含春雨、干裂秋风，乃不蹈臃肿迍羸之习。

作品局部

结庐在人境，而无车马喧。问君何能尔，心远地自偏。采菊东篱下，悠然见南山。山气日夕嘉（佳），飞鸟相与还。此中有真意，欲辩已忘言。

闲居少邻并，草径入荒园。鸟宿池边树，僧敲月下门。
过桥分野色，移石动云根。暂去还来此，幽期不负言。

動雲根暫去還來此幽期不負言
賈島題李凝幽居

苏溪亭上草漫漫，谁倚东风十二栏。
燕子不归春事晚，一汀烟雨杏花寒。

作品局部

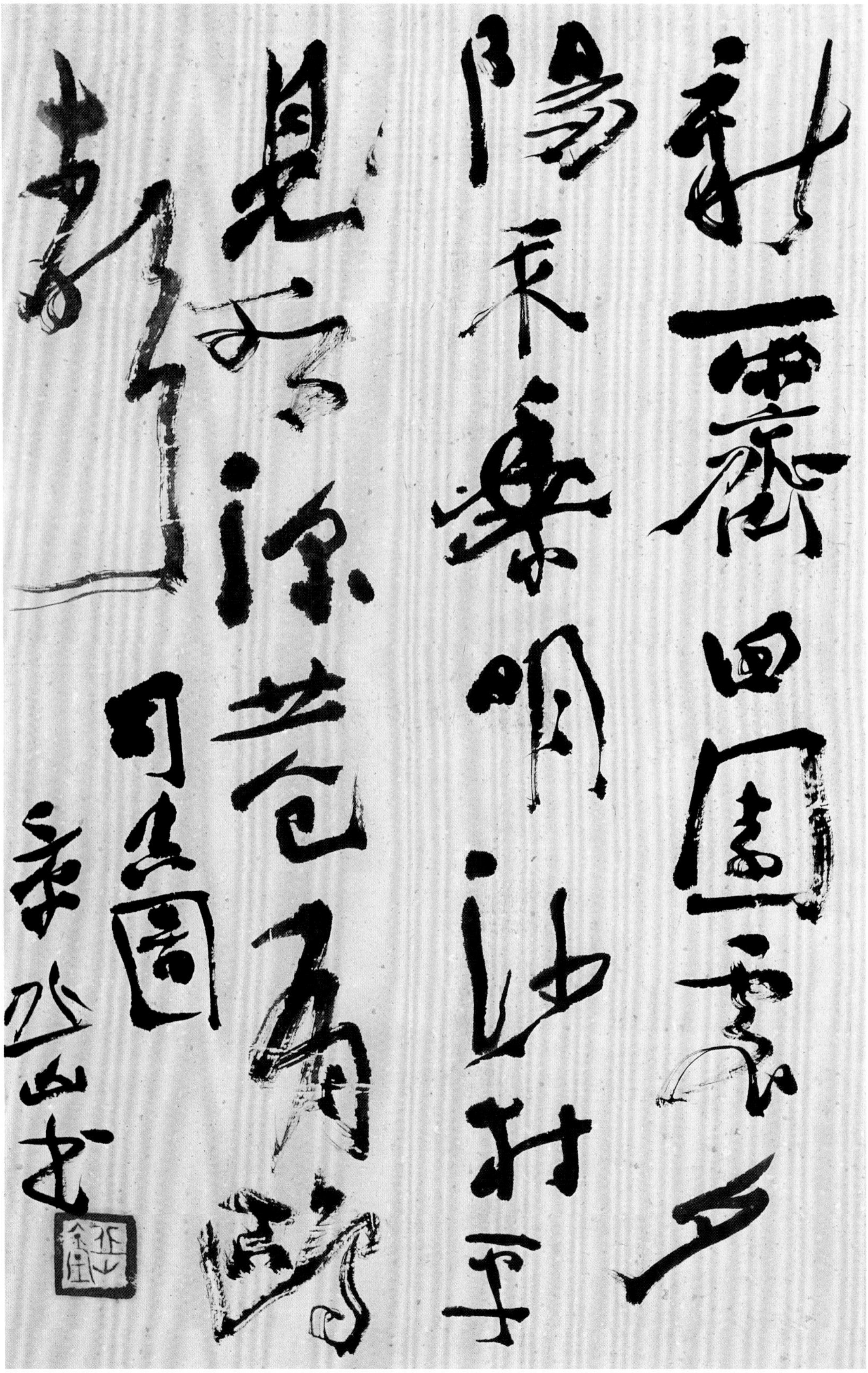

新霁田园处，夕阳禾黍明。
沙村平见水，深巷有鸥声。

作品局部

卷尾语

为本书提供的作品，除少量过去的作品外，大部分为近期创作。虽然是随其情趣所书，但也是苦苦探索追寻的一种自然流露。从事书法艺术是一种苦行，为了对自己指向的那个美的追求，必须得付出一生的努力。因为在创作中不断地探索，似乎是觉得已接近目标，但最后求证的结果是尚未接近。所以走过的道路总是在苦苦的追索。『追索』本身变成了目的，这种『追索』既是无尽的烦恼，又是无尽的苦尽甘来，也许生命力就勃发于这无尽的追索之中。

张景岳

二〇〇八年九月